pulsions

BRIAN DE PALMA
& CAMPBELL BLACK

pulsions

traduit de l'américain par Herbert Draï

Éditions J'ai Lu

Ce roman a paru sous le titre original :

DRESSED TO KILL

1

Elle était passée une bonne centaine de fois devant l'endroit avant ce soir, épiant d'un œil intrigué les gens qui disparaissaient à l'intérieur; ils se faufilaient sous le discret néon de l'entrée et lorsque le double battant de la porte les avalait puis se rabattait derrière eux, de lointains accords de musique parvenaient jusqu'à ses oreilles. Ce devait être la musique qui l'attirait, pensa-t-elle; elle semblait s'échapper et émerger du sol en phrases brisées, comme une série d'invites rapides. *Entre. Il n'y a rien de plus facile au monde. Tu n'as qu'à entrer.* Elle se détourna et traversa l'étroite chaussée. Sur le trottoir d'en face, elle s'immobilisa, remonta d'un geste sec les lunettes sombres sur son nez. Elle frissonna, mais ce ne pouvait être à cause du froid. Les nerfs. Peut-être était-ce dû simplement à un manque de sang-froid, à un rouage qui casse et vous laisse suspendu dans le vide. Elle rejeta une tresse de cheveux blonds qui retombait constamment sur son front et se demanda quelle tête elle avait, si elle présentait suffisamment bien pour rivaliser avec les femmes de ce genre d'endroit.

Rivaliser. Qu'allait-elle chercher là? Elle n'avait pas à rivaliser avec qui que ce soit. Elle n'avait qu'à retraverser la rue et à pousser les battants et elle serait dans la place... mais cette idée la paralysa. Puis elle vit un homme s'engouffrer à l'intérieur; quand il passa sous le néon, ses cheveux clairsemés réfléchirent brièvement la lumière. Ne t'énerve pas, se dit-elle. Retourne de l'autre côté. Entre. Suis la musique. Elle se regarda dans la vitrine sombre d'une pharmacie fermée; ses lunettes noires masquaient presque complètement son visage. Des lunettes noires à la tombée de la nuit : c'était quelque peu provocant, prétentieux. Et sa courte veste en daim semblait accentuer sa grande taille, lui donnant un air gauche et emprunté. D'un geste vif, elle repoussa une fois de plus la tresse de cheveux.

Tu as toujours combattu les nerfs par les nerfs, pensa-t-elle pour se rassurer. Tu ne te contentais pas de céder à la peur, tu t'arrangeais pour la détourner à ton profit, pour t'en faire une alliée malgré elle. Tu t'en servais, alors qu'aujourd'hui cette force s'en va en pure perte.

Elle ramena la sangle de son sac sur le creux de l'épaule et mit ses mains dans les poches de la veste. Enfin, s'armant de tout son courage, elle traversa lentement la ruelle. Tu n'as rien à craindre. Entre par cette porte comme n'importe qui d'autre. Sous le néon, elle ferma les paupières un instant. *Il se pourrait que quelqu'un t'accoste et essaie de te lever et que tu sois attirée par lui, tu pourrais avoir envie de passer la nuit avec cet inconnu, envie d'une partie de jambes en l'air anonyme et sans conséquence dans une chambre obscure...*

En pénétrant à l'intérieur, elle frissonna de nouveau; la musique, plus bruyante qu'elle ne l'avait cru, la surprit et la salle qui s'ouvrait devant elle – chichement éclairée çà et là par de faibles lampes voilées d'abat-jour, de telle sorte qu'une ombre furtive s'accrochait au moindre mouvement – ne lui parut guère accueillante. Elle marcha vers le bar en songeant : des requins. Une salle pleine de requins se déplaçant dans les profondeurs, entre les ombres et la lumière. Le barman se penchait vers elle, articulant des mots qu'elle ne put entendre. Il répéta sa phrase, tel un poisson qui ouvre la bouche. Et soudain son esprit se vida, elle fut incapable de prononcer une parole, de penser même à ce qu'elle désirait boire, consciente uniquement des sensations qui l'assaillaient, de cette musique pareille à des croassements de corbeaux, des odeurs de sueur et de déodorant qui rôdaient autour d'elle, du poids du sac sur son épaule.

– Permettez, dit quelqu'un. Si vous le voulez bien.

Elle regarda le visage de l'homme qui avait parlé. Visage charnu, âge moyen, avec cette expression meurtrie qu'on voit chez ceux qui ont trop longtemps poireauté dans les files d'attente des grands magasins où ils trouvent toujours à se plaindre. Elle se surprit à sourire. L'homme s'approcha jusqu'à la frôler. Il dégageait une forte odeur de menthe poivrée. Elle soupira, espérant calmer sa nervosité.

– Qu'est-ce que ce sera? demanda-t-il.

Elle le considéra pensivement. Son accent plat et morne évoquait les grands espaces vides de la prairie. Les citadins avaient des intonations nasales beaucoup plus nettes. Il effleura son poignet.

– Scotch. Avec des glaçons.

Sa voix était si faible qu'elle semblait monter du bar avant de franchir ses lèvres. Comme s'il avait deviné son désarroi, l'inconnu soutint son coude et l'aida à s'asseoir sur un tabouret.

– Walter, se présenta-t-il. Walter Pidgeon.

– Eva, rétorqua-t-elle sans se démonter. Eva Braun.

– Je suis pourtant tout ce qu'il y a de sérieux,

protesta-t-il en riant. C'est mon vrai nom. Personne ne veut jamais me croire.

Walter Pidgeon, du Midwest, songea-t-elle en l'observant derrière ses lunettes noires. Après tout, peut-être était-ce la règle de porter un pseudonyme dans ce bar. Peut-être se cachaient-ils tous ici sous de fausses identités. Par peur des représailles. Une vieille peur bien légitime.

– Si vous n'êtes pas Eva, alors qui êtes-vous?

Il s'empara à son tour d'un tabouret et prit place à son côté, la tête légèrement inclinée vers elle, son bras innocemment pressé contre le sien. Elle savoura une gorgée de scotch en gardant le silence. Puis, sa résolution prise, elle leva de nouveau les yeux sur lui : elle sentait chez cet homme, dans ses traits, une douceur mêlée de solitude, une souffrance maîtrisée.

– Bobbi, dit-elle laconiquement.

– Bobbi, répéta-t-il, comme s'il retournait le nom sur sa langue pour mieux goûter sa saveur.

– Avec un i.

– Bobbi, dit-il encore. Avez-vous un nom de famille?

– Parfois.

Elle avala d'un trait le reste d'alcool, posa le verre vide devant elle et jeta un coup d'œil dans la salle. Toutes ses craintes s'étaient maintenant dissipées, et en songeant à la terreur incompréhensible qui l'avait étreinte un peu plus tôt, elle eut envie de ricaner. Elle discerna çà et là, réunis autour des lumières tamisées, des groupes d'hommes en conciliabule, des filles à l'air effronté, arrogant, et elle ressentit presque physiquement l'atmosphère de conspiration qui régnait; chacun ici savait qu'il venait pour remporter un succès, pour marquer des points. Remporter un succès, pensa-t-elle en souriant narquoisement, voilà une métaphore bien sportive pour décrire le rituel du sexe dans un bouge de célibataires transformé en arène.

– Est-ce que c'est votre nom de famille, Parfois? demanda Walter.

Bobbi Parfois. Elle faillit rire quand soudain, quelque chose bougea à l'intérieur de son crâne, une ombre, une obscurité vacillante qu'elle ne put définir. Le sourire se figea sur ses lèvres et la panique s'infiltra dans ses membres. Et s'il ne plaisantait pas? Peut-être l'avait-il vraiment percée à jour? Peut-être avait-il vu à travers elle comme à travers ces radiographies qu'on place sous une lumière pour distinguer les détails? Un échantillon de sang. *Vu à travers elle...* Qu'allait-elle imaginer? Il n'y avait rien à voir en elle, rien du tout.

– Un autre verre? proposa Walter.

Elle acquiesça en silence, les yeux rivés sur son verre vide. Elle l'entendit passer la commande puis sentit, plaquée sur son genou, la main de son généreux partenaire. Elle la laissa reposer ainsi quelques instants avant de la repousser gentiment. Walter s'esclaffa.

– Je suis trop pressé, dit-il en manière d'excuse. Impulsif. Je n'y peux rien, c'est dans ma nature.

Elle prit le verre que le barman avait déposé devant elle.

– D'où venez-vous, Walter?

– D'un trou perdu dont vous n'avez probablement jamais entendu parler. Pocatello, Idaho.

– C'est exact, j'ignorais jusqu'à ce nom-là. (Elle était consciente de flirter vaguement avec lui, sans enthousiasme aucun d'ailleurs.) Qu'est-ce qui vous amène dans la grand-ville?

– Une conférence. Mais vous n'allez pas me faire croire que ça vous intéresse. Les betteraves à sucre ne sont pas un sujet de conversation, chérie.

Chérie. Il l'a appelée chérie. Une onde de chaleur la submergea. La faute à l'alcool. Et au mot chérie, à la façon dont il l'a prononcé, comme un pauvre mot solitaire tombé d'une chanson. Chérie chérie. De nouveau elle sentit sa main sur son genou.

– Pourquoi n'enlevez-vous pas vos lunettes?

– Je les aime...

– Je voudrais voir vos yeux. Je parie qu'ils sont bleus.

Elle secoua la tête avec une calme obstination.

– J'apprécie les lunettes. Je me sens en...

– Sécurité?

– En sécurité, oui.

Il heurta son bras par mégarde. Des gouttes d'alcool tachèrent son pantalon mais elle ne s'en soucia pas. Elle ferma les yeux et écouta la musique. Du rock doux. Gordon Lightfoot. *Crépuscule, fais bien attention...* Elle posa une main sur celle de Walter et dodelina de la tête au rythme de la musique tandis que ses cheveux, à chaque mouvement, caressaient ses tempes avec un murmure soyeux. Un vrai cocon. Une retraite où l'on ne peut se cacher. Un petit monde en soi, plein de chimères. *Tu ne sais trop comment mais tu connais cet homme depuis longtemps, vous avez été amants pendant des années, tu es celle qu'il vient voir en ville en cachette de sa femme, tu es la première personne qu'il appelle quand il arrive, la personne que tu attendais, pour laquelle tu brûlais...*

– Je suis descendu à l'*Americana*, disait Walter.

Ses paroles, sa voix... De quel droit venaient-elles l'importuner?

– Chambre 609.

Elle refusa d'ouvrir les yeux; la musique l'en empêchait, l'envoûtait. Le contact des mains. *Je te vois étendue là dans ta robe de satin...* Elle pensa : appelle-moi encore chérie. Dis-le-moi une fois encore.

– Vous voulez rester ici? demanda-t-il.

Elle ouvrit les yeux. La réalité crue. La salle des prédateurs.

– On pourrait aller boire un coup dans ma chambre, poursuivait Walter.

Elle reposa son verre et fit non de la tête.

– Pourquoi pas? On se ferait monter de l'alcool et on prendrait du bon temps.

– Je dois me rendre quelque part, expliqua-t-elle.

– Un autre rendez-vous? C'est ça?

Vexé, il retira sa main du genou qu'il caressait depuis un moment et elle se sentit brusquement nue, vulnérable, livrée sans défense à cet univers hostile.

– Quelque chose comme ça.

– Ecoutez, vous pourriez passer un coup de fil, dire que vous avez un méchant mal de crâne, inventer une excuse...

Elle le regarda, et la musique, à l'instant même, s'arrêta. Un étrange silence parcourut le bar; les conversations, étonnées et comme prises au dépourvu, suspendirent lentement leur cours avant de s'éteindre. Elle tressaillit, gagnée par l'effroi. L'*Americana*. Chambre 609.

– Je ne peux pas, dit-elle.

– Je vous trouve séduisante, mais moi je ne suis pas à votre goût, c'est cela?

Un timide sourire détendit ses lèvres. *Il me trouve séduisante. Moi!* Elle fixa son verre vide.

– Non, vous vous trompez.
– Ce rendez-vous... un type?
– Tout juste.
Il soupira bruyamment, mécontent de la tournure que prenaient les événements.
– Chérie, je rentre demain soir chez moi en Idaho et je ne sais pas quand je reviendrai. Peut-être jamais.
Elle prit son sac. Je veux vous accompagner à votre hôtel, Walter, je veux monter dans l'ascenseur avec vous, courir à votre chambre, commander ces boissons, prendre ce fameux bon temps, je veux coucher avec vous devant la télé allumée et muette, je désire tout cela...
– Je ne peux pas, répéta-t-elle. Mon Dieu, je ne peux pas. (Elle sentit une colère ancienne gronder dans sa poitrine, une rage étouffée parcourir ses veines et prendre la couleur de son sang. Et elle fut engloutie dans l'affreux bouillonnement qui battait dans ses propres artères.) Je ne peux pas, je ne peux pas...
– Il ne s'agit pas simplement d'une aventure sans lendemain, insista-t-il. (Il avait l'air pathétique à plaider sa cause.) Je vous aime beaucoup, vous savez. Dès que vous avez franchi cette porte, je vous ai aimée. Je vous le dis, je n'aime pas les coucheries d'une nuit, ce n'est pas mon genre.
Les tempes bourdonnantes, elle s'absorba dans la contemplation de ses paumes, et une fois de plus leur largeur, leur lourdeur disgracieuse si peu faite pour les jeux de l'amour, l'étonnèrent. Sans un mot, elle glissa au bas du tabouret et gagna la sortie. Je n'aurais jamais dû venir ici, se dit-elle en pressant le pas, Walter courant sur ses talons. Dehors, elle lui fit face. Il la saisit aux épaules et elle vit son visage

s'approcher du sien, plus près, toujours plus près, elle vit ses lèvres entrouvertes recouvrir sa bouche comme si son baiser allait la convaincre de demeurer avec lui. Les ténèbres l'enveloppèrent. Le baiser était chaud et humide. Il passa une main sous sa veste, les doigts tièdes tâtonnèrent vers ses seins. Les yeux clos, elle laissa la saveur de menthe poivrée prendre possession de sa bouche, l'image d'une chambre d'hôtel se forma de nouveau dans son esprit et elle songea combien il serait bon d'avoir Walter à l'intérieur d'elle, combien il serait apaisant de s'abandonner à lui, de succomber totalement, tous les damnés interdits enfin brisés... et elle le repoussa brutalement en frissonnant, horrifiée.

– Hé, qu'est-ce qui vous prend?

Elle ne l'écoutait déjà plus, elle s'éloignait à grands pas, de plus en plus vite à mesure que Walter criait son nom dans la nuit. Bobbi, Bobbi! Elle tourna au coin de la rue. Le talon d'une de ses chaussures se cassa avec un bruit sec mais elle continua sa course éperdue en claudiquant, la respiration hachée, le sac martelant ses côtes, et la cheville meurtrie. Elle aperçut une buvette-restaurant dans un sombre pâté d'immeubles; elle s'y réfugia, tout au fond, loin de la vitre, et commanda du café à une serveuse. Ses mains tremblaient lorsqu'elle alluma une cigarette.

Détends-toi, Bobbi.

Ne te fais plus de bile, maintenant. Respire profondément, lentement.

Il y avait une marque de rouge à lèvres sur le bord de la tasse de café. Elle tressaillit, tourna la tasse de l'autre côté, goûta le breuvage. Il n'avait aucun arôme. Un téléphone, voilà ce qu'il me faut, songea-t-elle. Il devait bien y avoir un téléphone dans ce trou. Elle jeta un coup d'œil alentour. Un cuisinier, la taille serrée dans un tablier graisseux, nettoyait une plaque chauffante tout en bavardant avec la serveuse dans une langue étrangère. Italien? Turc? Elle quitta son siège et entra dans les toilettes des femmes. L'odeur d'urine aigre lui souleva le cœur. Dans la poubelle, bien en évidence parmi les ordures, elle aperçut un tampon hygiénique usagé. Hypnotisée par l'objet, elle le fixa un long moment puis leva les yeux sur le miroir craquelé, tâchant de voir... De voir quoi? A cet instant, une femme sortit d'une cabine en titubant, vacilla sur ses jambes et disparut à l'intérieur du restaurant.

Du calme, Bobbi.

Chasse la panique. La colère.

Mais la colère se montrait plus forte, rien ne pouvait l'endiguer.

Elle tira de son sac un bâton de rouge qu'elle passa sur ses lèvres. Elle tremblait si fort que sa bouche en fut toute barbouillée. Seul un clown pourrait ressembler à ça, se dit-elle en maudissant sa nervosité. Elle essuya ses lèvres maculées avec un mouchoir en papier et retourna dans le restaurant. Le téléphone se trouvait dans un renfoncement, près de la porte d'entrée. Elle glissa quelques pièces de monnaie dans la fente de l'appareil et composa un numéro.

Il n'était pas là. Elle savait qu'il n'y serait pas à cette heure de la nuit. Les réducteurs de têtes ne travaillaient jamais bien tard. Le son de sa voix lui parvint, transmise par un répondeur automatique. Elle sentit sa rage monter d'un cran.

Lutte, Bobbi, lutte contre elle.

« Ici, le Dr Elliott. Je ne suis pas à mon bureau

pour le moment. Lorsque vous entendrez le signal sonore, vous laisserez votre nom, votre message, et un numéro de téléphone où l'on peut vous joindre. Merci. »

Qu'il aille au diable! Elle haïssait son accent britannique, sérieux et glacé, sa diction précieuse, comme si sa bouche ne pouvait supporter le contact des mots. Elle serra le récepteur entre ses doigts.

– Elliott. C'est Bobbi. Tu te souviens?

Elle hésita. Et si elle n'avait pas affaire à un répondeur téléphonique? Et si Elliott était réellement à l'autre bout du fil?

– J'ai trouvé un nouveau réducteur de têtes, Elliott. Je n'ai plus besoin de *toi.* Il va m'aider. Il sait comment m'aider. Pas comme toi. Il s'appelle Levy. Tu as peut-être entendu parler de lui?

Elle marqua un temps d'arrêt et regarda dans la salle. Le cuisinier la reluquait avec un sourire idiot. Une expression de vide stupide.

– Mais nous n'en avons pas encore terminé, toi et moi, Elliott. Je n'en ai pas fini avec toi... (Tout en parlant, elle ne cessait de tortiller le fil du téléphone entre ses doigts.) J'ai dérobé un objet dans ton bureau, aujourd'hui, Elliott. Tu devines ce que c'est? Tu ne devines pas, docteur grosse légume? Cherche dans ta salle de bains avant de donner ta langue au chat. Dans la salle de bains, tu brûleras. Peut-être. Je ne veux pas t'en dire plus. (Elle fit silence une seconde puis chuchota :) Va te faire foutre! (Et elle reposa le combiné sur son socle de toutes ses forces.)

Assise de nouveau à sa place, elle but d'un trait le reste de son insipide café en essayant d'imaginer Elliott écoutant le message enregistré puis courant, intrigué, vers la salle de bains, cherchant furieusement un objet dont il ignorait tout. Que c'était drôle. Elle glissa une main à l'intérieur de son sac, reconnut sous ses doigts des serviettes en papier, des paquets de cigarettes froissés, ses crayons de maquillage, son rouge à lèvres, jusqu'à ce qu'elle touchât enfin la surface lisse...

Lisse. Un manche en bois que l'usage avait poli. Une lame d'acier enchâssée dans le bois. La lame dure et effilée d'un vieux rasoir à main. Elle referma son sac.

C'était un rêve, le même rêve – et Kate en était pleinement consciente au moment où il se déroulait –, d'abord effrayant, ensuite agréable, puis douloureux vers la fin parce qu'elle savait qu'elle ouvrirait les yeux et se retrouverait dans le lit en compagnie de Mike, et que rien n'aurait changé : la lumière du jour pénétrerait comme d'habitude à flots par les fenêtres de la chambre à coucher, illuminerait des atomes de poussière flottant dans l'air telles des phalènes désintégrées; Mike la renverserait sous lui et la prendrait à sa façon, mécaniquement, par acquit de conscience, comme un rituel nécessaire qu'il s'agit de conclure au plus tôt.

Elle n'ouvrit pas les yeux, tentant encore de retenir le songe qui s'échappait et s'évanouissait progressivement. L'inconnu du rêve... qui était-il? Cet homme dans la douche, d'où venait-il? Et pourquoi ne pouvait-elle se débarrasser de la curieuse impression que son étreinte brutale lui était mystérieusement familière? Fallait-il y attacher de l'importance? Après tout, bien des rêves apparaissent sous un jour déformé et familier, un peu comme lorsqu'on entre dans une enfilade de pièces dont on reconnaît la disposition, l'ameublement, et qui cependant semblent totalement différentes sans que l'on puisse dire en quoi. Des chambres de rêve. Des paysages de rêve.

Des amants de rêve.

Elle fit un ultime effort pour se souvenir, pour rafraîchir sa mémoire.

Elle entre sous la douche. Elle voit Mike à travers la vitre dépolie. Elle fait couler l'eau. Mike chante d'une voix discordante en se rasant. Le même air, toujours le même air.

Puis il y eut un vide, une page blanche. Quelque chose est arrivé ensuite. Quoi donc? Quel était le déroulement exact des événements?

L'eau ruisselait sur elle quand une main se plaqua sur sa bouche. Une main d'homme. Elle sent son haleine tout contre sa nuque. L'autre bras l'enserre dans un étau. Elle veut pousser un cri, alerter Mike. Mike continue de se raser, son image est déformée par la vitre dépolie. Dans le réduit de la douche, la buée se fait plus épaisse. Elle se condense sur la paroi et coule en fins ruisseaux. Mike se rase, chante. Elle ne peut proférer un son. Elle ne peut bouger. Puis tout se renverse et elle sent cet homme, cet étranger, la pénétrer par-derrière. La souffrance est terrible mais elle ne dure qu'une seconde et l'instant d'après elle se surprend à écarter les jambes imperceptiblement tout en essayant désespérément d'avertir Mike et de libérer sa bouche de la poigne de fer qui l'étouffe.

Puis tout changea.

Elle le sent collé contre elle et forcer inexorablement son chemin vers le haut, elle suit le mouvement en se dressant sur la pointe des pieds, les cuisses largement ouvertes, et en cet instant elle ne désire plus crier le nom de Mike, Mike n'existe plus que sous la forme irréelle d'une empreinte dansant sur la vitre. Seul le feu qui brûle entre ses cuisses est réel; réels les vagues irradiant son corps et se propageant dans ses fibres, ses efforts pour écarter les jambes encore plus, et le tremblement frénétique qui agite ses muscles et ses mollets. Mais la douleur s'est métamorphosée. C'est comme si une part d'elle-même s'était détachée, l'eau ne ruisselle plus, et elle est noyée dans une jouissance ouatée, un plaisir absolu et feutré, emportée dans une contrée où le bruit est superflu.

Elle jouit. Elle jouit, prise ainsi par-derrière, dans une position que son imagination débridée a conçue, et le silence vole en éclats, brisé par l'écho de son propre hurlement.

Et le rêve prit fin.

Elle ouvrit les paupières. S'éveiller fut comme remonter lentement de profondeurs abyssales et glauques. Ce n'était qu'un rêve, rien de plus. Et si le contact de l'étranger lui était familier, cela ne signifiait rien de particulier excepté qu'elle avait peut-être rêvé de lui auparavant. Autres mondes, pensa-t-elle. Oui, ce devait être cela, une sorte de voyage astral à la gomme. Un saut nocturne dans une autre dimension, celui auquel tous les amants aspiraient.

Elle voulut repousser les draps, mais elle rencontra le regard de Mike. Il s'inquiéta de son sommeil agité, lui affirmant qu'elle avait passé son temps à se tourner et se retourner dans le lit. Puis, de but en blanc, il caressa ses seins nus et l'enlaça. Elle se lova sous lui, pensant renouer avec le rêve enfui à la faveur de l'étreinte. Mike en lieu et place de l'étranger fantôme... Etranger fantôme : il ne manquait plus que ces divagations. (Elliott aurait tôt fait de décortiquer ce songe. Il l'épinglerait comme un papillon, le glisserait dans une petite boîte freudienne bien rangée et le lui rendrait entouré d'un joli ruban. Puis il égrènerait le chapelet habituel si nécessaire à son commerce quotidien : culpabilité, anxiété, répression. Ces termes lui étaient aussi vitaux que pouvaient l'être les mots sérum et onguent à un embaumeur.) Elle ferma les yeux; Mike l'embrassa à pleine bouche. Elle pensa : il ne sait toujours pas s'y prendre, il ignore encore comment rendre son baiser agréable et désirable; ni lui ni moi n'arrivons à croire à l'importance d'un tel instant. Il se contente d'aller et venir comme si j'étais une de ces poupées gonflables qu'on trouve dans le catalogue de Frederick. (*Je m'appelle Kate, je mesure 1 m 62 et je suis créée pour procurer du plaisir.*) Elle écouta sa respiration bruyante, les battements réguliers de son ventre contre le sien. Elle gémit et se cambra quand elle sentit qu'il venait. On devrait m'octroyer un *Oscar* pour jouer si bien la comédie, se dit-elle en mimant l'ardeur amoureuse. Repu et suant à grosses gouttes, il s'effondra sur elle puis caressa doucement ses cheveux. C'était le « moment de tendresse ». Il durait en moyenne une quinzaine de secondes. Sa bonne action achevée, il se relèverait et passerait sous la douche. Elle masserait alors son bas-ventre endolori.

Elle le regarda se redresser en souriant et disparaître vers la salle de bains. Elle demeura immobile sous les draps froissés, les doigts crispés sur sa poitrine. Elle ne ressentait ni colère ni amertume – rien qu'une torpeur liée, elle le devinait confusément, au rêve qu'elle avait fait, un voile noir qu'elle avait tiré sur la scène de la douche. Des bêtises. Tu ne peux quand même pas t'accrocher indéfiniment à tes rêves. Elle repoussa brutalement les draps de côté, enfila sa robe de chambre et arrangea ses cheveux en bataille.

Mike sortit de la douche, une serviette nouée autour des reins. Il souriait toujours béatement, tel un artisan pas peu fier du travail accompli.

– A quelle heure a-t-on rendez-vous pour le déjeuner? demanda-t-il.

Le déjeuner. Elle avait presque oublié cette corvée. Installée devant sa coiffeuse, elle entreprit de mettre de l'ordre dans sa magnifique chevelure.

– 1 heure, dit-elle.

– N'oublie surtout pas.

– Ne t'en fais pas.

Manger en compagnie de Mike et de sa mère, quelle épreuve pour les nerfs, songea-t-elle en revoyant la scène : la mère de Mike, l'expression glacée, jetant sur elle des regards soupçonneux par-dessus les verres de vin. Non pas qu'*elle* buvait, la vieille chouette; elle faisait au contraire clairement comprendre, de ses petits yeux froids et venimeux enchâssés dans deux fentes étroites, qu'elle désapprouvait l'alcool à peu près autant que le mariage de son fils. *Je n'aurais jamais cru que mon fils épouserait une veuve,* lui avait-elle lancé une fois. *C'est un peu comme de violer une sépulture, ne croyez-vous pas?* Cette image s'était incrustée dans son esprit et l'avait profondément blessée. Qu'allait imaginer sa belle-mère, qu'elle était possédée du diable, qu'elle appartenait encore à son défunt mari? En désespoir de cause, elle avait fini par s'en remettre aux conseils avisés du bon docteur Elliott. (*Ecoutez-moi, vous n'avez aucunement besoin de vous encombrer de ce chagrin. C'est un bagage superflu. Imaginez que vos émotions soient des valises et que vous preniez l'avion, il vous faudrait alors payer un supplément pour cette douleur.*) Il en avait un plein tiroir, le Dr Elliott, de ces platitudes réconfortantes.

– Promets-le-moi, dit Mike. Tu sais combien elle est à cheval sur la ponctualité.

– Je sais, soupira Kate en se tournant vers lui.

Elle observa ce visage satisfait et, durant un court instant, la figure de Thomas, le défunt, se substitua à la sienne. Mais cette vision fugitive, impossible à cerner, ne dura pas; on eût dit une photographie brouillée, surimposée par mégarde. Thomas est mort. Thomas a eu l'infortune de poser le pied sur une mine, dans un pays lointain. Bon sang, n'arrivera-t-elle donc jamais à chasser cette maudite pensée, à la remiser dans quelque oubliette de sa mémoire?

Elle se sentit de nouveau lugubre, le cœur gros.

– Je te le promets, sur mon honneur de scout. J'y serai à 13 heures pile.

– Brave petite, fit Mike.

Elle alla à la fenêtre et jeta un coup d'œil dans la rue. C'était une de ces artères tranquilles égarées au milieu de la cohue désordonnée de New York, des plaintes aiguës des ambulances, des ululements des voitures de police et de la ronde effrénée des taxis. Une oasis de calme dans une mer déchaînée, la surprenante impression d'un dépaysement, d'un bond dans un autre continent. Un taxi jaune en maraude passa sous la fenêtre; un portier en uniforme chamarré surgit d'un auvent rouge-grenat et leva le bras pour attirer l'attention du chauffeur. Une femme portant un chiot dans ses bras s'engouffra dans la voiture.

Mike agrafa ses boutons de manchettes.

– Est-ce que Peter sera des nôtres? demanda-t-il.

Peter, son fils, l'enfant de Thomas. Entre lui et Mike régnait une animosité butée qui semblait ne jamais devoir connaître de trêve. Ils campaient sur leurs positions, face à face, chacun attendant l'arme au pied le repli de l'autre. Peut-être n'y avait-il là rien que de très naturel : Peter vivait avec le souvenir de son père mort, et rien ne pouvait effacer cette blessure. Toute l'affection et la tendresse qu'il possédait étaient enterrées dans la tombe de Thomas. Quant à Mike, sa délicatesse d'éléphant lui interdisait de comprendre quelque chose aux enfants, surtout à un enfant comme Peter.

– Je le pense.

– Assure-toi qu'il ne porte pas une de ses habituelles vareuses de soldat. Elles lui donnent l'air de sortir tout droit d'un camp de réfugiés.

– J'essaierai.

– Ce gosse a une façon de s'habiller...

Il laissa la phrase en suspens, mais elle connaissait le refrain par cœur. *Un débraillé, bon Dieu! Vêtu comme un de ces jeunes hippies!* Elle observa son mari en silence et pensa : le pauvre, sa position à lui non plus n'est guère tenable. Il vit dans les souliers d'un mort. Il a le sentiment d'être traqué par un spectre qui resurgit tous les jours dans les yeux de Peter. Le ressentiment et la haine qu'il lit sur le visage de l'enfant le minent nerveusement. (*Tu t'es remariée! Comment as-tu osé faire une chose pareille? Je ne comprends pas!*) Peter, les larmes aux yeux, les poings serrés, accusant sa mère de trahison...

Il sortit de la chambre à coucher; elle l'entendit

remplir la cafetière de ce café français qu'il adorait, noir et fort comme ils l'aiment là-bas. Elle se regarda dans la glace, le miroir lui renvoya une image marquée de fines rides. De la lassitude, se dit-elle en secouant la tête. Et le rêve revint en un éclair, parfaitement brillant et dépouillé, une bulle étincelante qui gonfla et creva en une seconde. L'eau à nouveau ruissela sur sa peau, la main se plaqua sur sa bouche, elle ressentit la vigueur du membre de l'homme entre ses cuisses et elle pensa : c'est triste qu'un rêve devienne plus réel que le monde qui vous entoure. C'est si triste.

Elle se détourna vivement du miroir. Il est parfois mauvais de voir plus qu'il ne faut. Cette faim qu'elle a lue dans ses yeux, par exemple, ce désir inextinguible de replonger dans le sommeil.

Devant la porte de la chambre de Peter, elle marqua une légère hésitation. De l'autre côté de cette porte, elle trouverait un monde étrange qui se suffit à lui-même, qui se perpétue et s'engendre sans l'aide d'aucun apport extérieur. Hermétique. Un monde de gadgets, d'expériences en cours, de fils métalliques, de piles et de batteries auquel elle ne comprenait rien; un monde de bouts de papier couverts d'une écriture fiévreuse et de signes hiéroglyphiques; un univers de postes de radio démontés, de jouets électroniques éventrés, de circuits imprimés dispersés à l'aveuglette sur la table, ou jonchant le sol et le lit défait. *Un vrai petit Einstein!* s'était écrié Mike un jour qu'ils se querellaient à son propos. *Un jour, j'enverrai valser la cafetière contre le mur et wham! Je casserai la baraque, tu verras!* Quel gâchis. Et pourtant, dans ce fouillis indescriptible, elle ne pouvait s'empêcher de deviner un ordre mystérieux, un chaos méticuleusement planifié.

Elle frappa deux petits coups et entra.

Assis à sa table de travail, il tenait dans une main un morceau de fer à souder encore fumant et dans l'autre une plaquette de circuits imprimés. Absorbé par sa tâche, il ne s'aperçut pas de sa présence. Elle admira ses cheveux noirs indisciplinés et touffus, les reflets de lumière sur sa monture de lunettes. Soudain, elle eut devant elle la réplique exacte de Thomas; oui, c'était la même inclinaison du visage, les mêmes lèvres pincées par la concentration, le même dessin des arcades sourcillières. Un double, âgé de quinze ans. Elle sentit sa gorge se nouer et une faible pulsation battre sous son crâne. Elle connaissait déjà ce vertige; l'éblouissement la saisissait lorsqu'elle voyait Peter dans une certaine lumière et sous un certain angle.

Nous avons enterré Thomas juste avant les neiges, se souvint-elle; un jour couleur d'ardoise. Nous l'avons enseveli juste avant que le sombre hiver n'ait recouvert toute chose. Un tiret supplémentaire sur les rôles de l'armée américaine au Vietnam. Un flot d'images confuses défila brusquement dans sa tête. Le terrible télégramme, ce cri bloqué dans sa poitrine et qui menaçait de la briser, l'affolement qui s'était emparé d'elle, Peter qu'elle avait pris dans ses bras comme si rien désormais n'était plus précieux que l'enfant de l'homme mort. Elle se retint au chambranle de la porte. Huit maudites années. Une veuve avec un gosse de sept ans sur les bras. Huit misérables années s'étaient écoulées depuis cette tragédie. Les longues nuits vides alors que le désir la tenaillait et que des visions de chair pourrissant dans le sol venaient la hanter comme à plaisir. La folie l'attendait au bout du chemin, tapie dans ses rêves. Rêves de Thomas posant son pied sur une mine, rêves d'explosions, de ciel chargé d'orage et de mort, de sang bouillonnant et de membres déchiquetés.

Elle ferma les paupières. Cela passerait, elle le savait. Au début, elle avalait tous les *Valium*, tous les calmants qu'Elliott jugeait bon de lui prescrire, mais elle avait appris avec le temps à contrôler ces vertiges sans l'aide de produits chimiques d'aucune sorte. Cela devait passer, il fallait seulement tenir le coup.

– Je ne t'ai pas entendue entrer, dit Peter, le visage tourné dans sa direction.

– Tu as veillé toute la nuit, n'est-ce pas? demanda-t-elle en apercevant des cernes sous ses yeux.

– Je devais absolument terminer ce travail. L'exposition scientifique se tient la semaine prochaine.

– Je sais, tu me l'as déjà dit. Comme prétexte, c'est plutôt râpé, tu ne trouves pas? (Mais elle n'eut pas le cœur de le gronder et bien qu'elle continuât à froncer les sourcils, il n'était pas dupe de la comédie qu'elle jouait. Un large sourire éclaira ses traits d'adolescent.) Quel est ton secret, Peter? reprit-elle. Tu ne dors donc jamais? Il ne t'arrive jamais comme nous tous de poser ta tête sur un oreiller et de sombrer dans le pays des rêves?

– Qui a besoin de dormir? J'ai lu quelque part qu'on passe le tiers de notre vie au lit. Tu te rends compte? Un tiers de notre vie *dépensé au lit?* C'est une perte de temps.

Elle sourit et caressa affectueusement ses épaules.

– Qu'es-tu en train de fabriquer, entre-temps? Tu fractionnes un atome ou quelque chose de ce genre?

– C'est un microprocesseur... Tu ne comprendrais pas.

Le paternalisme qu'il affichait parfois à son égard l'amusait beaucoup, mais il avait fichtrement raison. Elle ne distinguerait même pas un microprocesseur d'un gland de chêne. Elle eut beau s'abîmer dans la contemplation du circuit imprimé et du fouillis d'appareillages qui encombrait la table, la lumière ne vint pas et elle se dit, faute de mieux, qu'elle avait vraiment affaire à un savant fou.

– Et si tu voulais bien condescendre à m'éclairer, tête d'œuf? dit-elle en croisant les bras sur la poitrine, l'air d'attendre une explication depuis des années.

– Ça ne sert à rien si tu ne comprends pas le jeu d'échecs et la nature de la fonction mémorielle dans un élément miniaturisé, laissa-t-il doctement tomber en ôtant ses lunettes.

Débarrassé de ses bésicles, il ressemblait à un professeur en culotte courte sur le point de présenter une thèse devant un auguste jury. Elle se retint in extremis de pouffer de rire tant l'expression de son fils était *exagérément sérieuse.*

– Si c'était le jeu de dames, j'aurais une chance, répondit-elle en plaisantant.

– Les dames! s'exclama-t-il sans masquer son dédain. Il n'y a aucune commune mesure entre le jeu de dames et ceci. Ce que j'essaie de faire, en gros, c'est de reprogrammer un ordinateur qui joue aux échecs en augmentant son répertoire. Donc, j'accrois les capacités de cet élément miniaturisé en lui ajoutant toute une série d'ouvertures. Tu saisis... Tu saisis? (Il la regarda et elle surprit au fond de ses prunelles une lueur étrange, sauvage.)

– C'est bon, c'est bon. Je ne comprends pas un

traître mot de ce que tu me racontes, mais je suis fière de toi, en tout cas.

Pour couper court à l'entretien, elle posa un baiser sur son front et ébouriffa ses cheveux.

– Ecoute, c'est pourtant simple. Tel qu'il est fabriqué, l'ordinateur ne possède pas l'Ouverture anglaise et la Défense hollandaise dans sa mémoire. Donc, ce que je suis en train de...

– Anglaise, hollandaise... Je veux simplement que tu ne passes plus de nuits blanches, compris?

– D'accord.

Il soupira bruyamment, mais cela faisait partie de leur jeu – le jeu de l'affection et de la compréhension mutuelles –, une complicité de laquelle Mike était exclu. *Tu gâtes trop ce gosse, Kate. Tu le pourris à la longue.* Peut-être bien, mais elle n'avait pas l'intention d'économiser son amour. Souvent, au plus profond d'elle-même, elle sentait que Peter représentait tout ce qu'elle possédait. Tout ce qu'elle posséderait jamais.

– A propos du déjeuner...

– Quel déjeuner?

– Nous devons déjeuner avec Mike et sa mère.

– Oh, non! gémit Peter. Je suis vraiment obligé d'y aller?

– Tu veux dire que tu n'en as pas *envie*?

Il sourit malicieusement.

– Elle me fait penser à un bloc de glace.

– Promets-moi d'être correct, Peter.

– S'il te plaît, supplia-t-il. *S'il te plaît.*

Elle se laissa attendrir par sa prière et par le souvenir des scènes précédentes. Au diable toutes ces simagrées! Il ne ferait de toute manière qu'exaspérer Mike à force de tripoter la salière, de renverser le poivrier, de griffonner sur le napperon ou de s'enfermer dans un silence maussade. Et cela se terminerait par un scandale en plein restaurant.

– D'accord... mais à condition que tu me promettes de ne plus veiller.

– Oui, oui. Je te le promets.

– Je ne sais pas s'il faut te croire. Enfin, je trouverai quand même une excuse pour expliquer ton absence.

– Merci, maman. J'apprécie beaucoup, s'écria-t-il en l'enlaçant avec tendresse.

En vérité, elle n'espérait plus grand-chose de ses séances avec Elliott. Un temps, elle avait éprouvé du réconfort à s'installer sur le divan et à s'écouter parler, mais cette époque était révolue. A cause de Mike, peut-être, de ses remarques désobligeantes envers ce qu'il appelait « des trucs de cycliste ». Il ne lui épargnait aucune moquerie, au point qu'elle se sentait coupable d'avoir commencé une analyse. *Regarde un peu tout l'argent que tu dépenses là-dedans,* lui disait-il. *Tu crois vraiment que tu as besoin de ce type? Que fait-il pour toi? Et d'abord, qu'est-ce qui cloche chez toi?*

A l'arrière du taxi, les mains croisées sur ses genoux, elle regardait sans les voir sa jupe d'un gris pâle et ses gants assortis. J'ignore ce qui ne va pas, pensait-elle. Peut-être rien. Peut-être tout. Je suis incapable de t'expliquer, Mike... et même si je le pouvais, tu ne voudrais pas comprendre. La satisfaction et le contentement, le sentiment de la passion, toutes ces réalités désirables sont absentes de ma vie. Appelle cela comme tu voudras, c'est la marque d'un vide, d'un abîme noir. D'un tunnel sans fond. Ce que fait Elliott? Il essaie de me tirer de là. Il écoute.

Mais son aide n'est guère efficace, reconnut-elle en son for intérieur.

Tu sais ce qu'il te faut? lui avait lancé un jour Mike. *Un prêtre. Ou un confesseur. Ils sont bon marché, eux, au moins.*

Elle jeta un morne coup d'œil sur le paysage par la vitre du taxi. Elle se demanda si beaucoup d'autres patients commençaient à ressentir, comme elle, une irritation croissante, de la rancune même, envers leur analyste; si le fait de dévider des mots inlassablement ne les mettait pas en position d'infériorité, ne les rendait pas vulnérables; si, comme elle, d'autres malades n'ouvraient pas leur cœur avec trop de générosité, sans discernement, ne baissaient pas leur garde inconsidérément pour ne se voir offrir en contrepartie que de vagues suggestions ou des ordonnances de circonstance. On ne savait jamais avec Elliott s'il écoutait vraiment ce que vous lui racontiez ou si, l'expérience aidant, il pensait à tout autre chose en vous donnant l'impression d'être particulièrement intéressé par vos propos.

Le taxi vint doucement se garer contre le trottoir et, après une dernière secousse, le moteur s'arrêta. Elle paya, descendit de la voiture. Hors de la quiétude rassurante de l'auto, elle mesura brusquement sa petitesse, cernée qu'elle était par l'immensité des buildings qui paraissaient vouloir se frayer un chemin dans le ciel, toujours plus haut vers le cœur du soleil. Ces présences gigantesques et écrasantes menaçaient à tout moment de s'effondrer sur elle. Une forme bénigne d'agoraphobie, lui avait dit un jour Elliott. La peur irraisonnée des endroits publics. Elle s'engouffra rapidement sous un porche après avoir lancé un regard indifférent sur la plaque de cuivre gravée au nom d'Elliott. Quelques secondes plus tard, elle ouvrait une porte de bois massif et s'avançait dans un vestibule en songeant ironiquement : la création typique d'une femme d'intérieur névrosée. Le vestibule ressemblait à ces étiquettes pendues aux orteils des cadavres, dans la chambre froide d'une morgue.

Elle passa aussitôt dans la salle d'attente. Elle transpirait légèrement et déjà deux petites auréoles de sueur marquaient ses aisselles. Il n'y avait personne dans la pièce; sur le bureau de la réceptionniste trônait une machine à écrire recouverte d'une housse noire. Pendant un bref instant elle crut perdre les pédales; ça ne se déroulait pas comme elle l'avait souhaité. Où était donc la secrétaire? Comment Elliott saurait-il qu'elle attendait s'il n'y avait personne pour l'annoncer?

Elle regarda autour d'elle avec anxiété. Ici une pile bien rangée de magazines, là une table à café briquée comme un sou neuf. Deux profonds sofas. Tu pourrais y aller carrément, songea-t-elle. Frapper à cette porte et pénétrer dans le saint des saints. Oh, la barbe! Ses yeux accrochèrent de nouveau la pile de magazines. Prends-en un et lis-le en attendant. Il finira bien par se passer quelque chose. *Harper's. Better Homes and Gardens.* Et *Games,* un titre qu'elle ne connaissait pas. Pourquoi ne trouvait-on jamais de journaux tels que *Screw* ou *Hustler* dans les salles d'attente? Qu'est-ce qui les autorisait à croire qu'on désirait feuilleter les pages de *Harper's* en affectant d'admirer béatement des maisons ultra-chic où manifestement personne ne vivait, ne fumait de cigarettes, ne se curait les dents ou ne faisait l'amour sur ces moelleux tapis blancs, devant de magnifiques cheminées inutilisées?

– Kate.

Elle pivota, électrisée par le son de cette voix. Sa tension s'évanouit d'un seul coup en le voyant planté là, un sourire de bienvenue sur les lèvres. Suis-je déjà à ce point dépendante de lui? se demanda-t-elle, effrayée par le pouvoir, réel ou imaginaire, qu'elle lui prêtait.

– Ma secrétaire est en vacances. Je suis obligé de faire moi-même les honneurs de la maison. Et je ne suis pas très fort à ce jeu, ajouta-t-il en reculant vers l'entrée de son cabinet.

Elle le suivit. Elle détestait souverainement cette pièce, ses fauteuils confortables, son désordre soigneusement entretenu et cette accablante atmosphère d'intimité qui s'en dégageait. Suivant le rituel consacré, elle s'assit la première, les yeux rivés sur Elliott qui contournait son bureau et allait prendre place dans son foutu rocking-chair. Peut-être partageait-elle avec les drogués ce sentiment d'amour-haine envers celui qui dispense la grâce, qu'il s'agisse de bonnes paroles ou de poudre blanche; un marché en somme, un simple marché avec ses contacts, son troc, sa demande et son offre, un marché se nourrissant de besoins irrépressibles et de velléités d'indépendance, d'humiliation et d'amour-propre. Elle lui avait tant de fois étalé ses problèmes, ici même... Dieu, comment pourrait-il encore lui rester un brin d'amour-propre? (Il avait dit : *Vous vous trompez, Kate. Plus vous me parlez, plus vous devriez ressentir de l'estime envers votre personne. L'honnêteté demande un peu de courage, ne le saviez-vous pas?*)

Du courage. Elle aurait souhaité en posséder assez pour ne plus jamais remettre les pieds dans cette pièce.

Ils s'observèrent en silence. La lumière du soleil, découpée en faisceaux par les lames du store, jouait sur les cheveux blonds soigneusement peignés d'Elliott. Il avait un beau visage régulier que seule la froideur tranchante de ses yeux bleus venait gâcher, une froideur analytique qui soupesait, calculait. Un juge devait avoir ces yeux-là... Pourtant, il ne l'avait jamais jugée, ne s'était jamais permis de lui faire de la morale. Pourquoi s'obstinait-elle à croire qu'il agissait ainsi à son égard?

Il prit un coupe-papier et le tourna entre ses mains. Celles-ci étaient solides et bien dessinées, les doigts longs aux ongles parfaitement taillés. Elle ne pouvait l'imaginer se faisant de la bile ou se torturant l'esprit. Peut-être était-ce là que le bât la blessait : il incarnait une sorte de perfection qui la renvoyait impitoyablement à ses propres insuffisances

– Que s'est-il passé depuis notre dernière rencontre? demanda-t-il en se penchant vers elle.

Mal à l'aise, elle baissa les yeux sur ses mains gantées. Quelle idiote, personne ne portait de gants par un temps pareil! *(Elle essaie de cacher un complexe,* penserait immanquablement Elliott.)

– Pas grand-chose, dit-elle en affrontant enfin son regard. (Faible, cette voix. Allons, ma vieille, tu peux faire mieux que cela.)

– C'est drôle, vous commencez toujours par ce bout de phrase, dit-il en souriant. Pas grand-chose. Vous venez peut-être ici comme vous allez chez votre dentiste.

– Non...

– Vous m'obligez à vous tirer les vers du nez, Kate.

Elle se dressa brusquement sur ses pieds, ôta ses

gants et marcha vers la bibliothèque pour cacher son désarroi. Elle était déconcertée par cette entrée en matière. Si j'ouvre la bouche maintenant, pensa-t-elle, je vais prononcer des paroles incohérentes.

– Comment vont les relations avec Mike?

– Mike? Oh, c'est le statu quo, répondit-elle en haussant les épaules.

– Mais encore?

– Je... simule...

– Vous simulez quoi, Kate?

Les nerfs à fleur de peau, elle lut quelques titres des nombreux livres paradant sur les étagères. Il y en avait de toutes sortes, en allemand, en français, en italien; un plein mur. *Jahrbuch für Psychoanalytische Forschungen. Revue Française de Psychanalyse. Archivio generale di Neurologia, Psichiatria e Psicoanalisi.* Des millions de gens à travers le monde se faisant analyser dans toutes les langues. La Tour du Babil. Un cauchemar assourdissant.

– Que simulez-vous? insista Elliott.

– Je feins l'orgasme. Je feins la tendresse. Je feins l'amour et la joie! (Enfin, elle avait lâché le morceau. Qu'il se débrouille avec, maintenant.) Je joue la comédie tout le temps, voilà la vérité.

– Pourquoi?

– J'imagine que cela lui fait du bien.

– Oubliez-le pour le moment, Kate. Qu'est-ce qui *vous* fait du bien?

Elle retourna s'asseoir, ferma les yeux et se concentra sur les pulsations qui battaient ses veines. Le rêve me fait du bien. Elle garda le silence. Elle entendit Elliott soupirer.

– Vous n'avez aucune réponse à me fournir?

Elle piocha une cigarette dans son sac et l'alluma avec le briquet que Thomas lui avait offert, des années auparavant; un joli briquet en argent portant ses initiales gravées sur le côté. Du coin de l'œil, elle vit Elliott se mettre debout et entrebâiller la fenêtre. Evidemment, elle avait oublié que la fumée le dérangeait. Après tout, c'était sa faute – pourquoi ne pendait-il pas un écriteau « Interdiction de fumer » au mur?

– Je n'aurais pas dû l'épouser.

– Ça ne répond pas exactement à ma question, Kate.

Il se renfonça dans son fauteuil et se balança d'avant en arrière. Les grincements assourdis du fauteuil mirent ses nerfs au supplice.

– Je ne *sais* pas quoi répondre.

– Bon, bon. Pourquoi vous êtes-vous mariée avec lui, alors?

– La solitude. Le désarroi. On commence à se voir à travers les yeux des autres. On regarde, et on aperçoit une veuve qui ne peut se lamenter sur l'épaule de quelqu'un, on voit un lit vide. Puis... Mike est passé par là, il a comblé une absence.

– Etait-ce suffisant pour l'épouser?

– Non, à l'évidence.

Elle se tut. Elliott mit fin à son balancement; il scruta ses traits comme s'il ne doutait pas un seul instant de son pouvoir de persuasion. Elle releva le visage, ses yeux furent happés par son regard et avant qu'elle ait compris ce qu'elle faisait, sa bouche contait déjà le rêve dans ses moindres détails. L'expression d'Elliott ne changea pas : il semblait boire ses paroles, les mains sagement croisées devant lui.

– Pourquoi vous paraît-il familier, Kate? demanda-t-il lorsqu'elle s'arrêta de parler.

– Je l'ignore... Peut-être parce que ce rêve revient

souvent. Pas chaque nuit, mais deux ou trois fois par mois. C'est tout. Je suppose que j'aurais dû vous en faire part depuis un bon moment, mais cette histoire me paraissait si infantile.

– Infantile? Je ne le crois pas. Pourquoi est-il familier? Voilà ce qui m'intéresse au plus haut point. Vous rappelle-t-il quelqu'un de votre connaissance?

– Non...

Elle devinait le tour que prenait la conversation, les doutes qu'elle avait conçus auparavant étaient encore présents dans sa mémoire, et toute sa raison s'insurgeait contre cette idée délirante. Ce ne pouvait être cela! C'était faux, horrible, macabre! Il ne s'agissait que d'un rêve, rien de plus.

– La manière dont il vous touche, cela vous dit quelque chose? Sa façon de vous palper, de vous prendre?

– Je sais ce que vous pensez...

– Je ne pense rien du tout...

– Vous êtes...

Elliott se renversa en arrière et le balancement reprit, régulier, rythmé par les grincements étouffés du fauteuil. Elle eut l'impression d'écouter une horloge égrener infailliblement les secondes.

– Vous pensez qu'il s'agit de Thomas, n'est-ce pas? C'est ça qui vous a traversé l'esprit? Bon Dieu, vous pensez donc que je fornique avec un revenant dans mon rêve?

– Ce n'est pas moi qui évoque cette hypothèse, c'est vous, Kate. Vous seule. Si cet homme vous rappelle Thomas, c'est parce que le rêve vous procure une compensation. C'est le moyen que vous avez trouvé de vous évader de la prison que représente ce mariage avec Mike. C'est votre façon de vous dédommager de ses défaillances viriles. Alors vous vous créez un amant, un violeur ou n'importe quoi. Et lui vous satisfait. Que ce soit Thomas ou quelqu'un d'autre n'a aucune importance. Il n'y a pas de honte à cela.

– Je ne ressens aucune honte, bon sang!

– Ne vous mettez pas en colère contre *moi*, Kate. D'où vient cette rage? Voulez-vous me le dire?

Dieu, comme elle le haïssait, parfois! Elle ferma les yeux, espérant fuir ses investigations, mais il poursuivit méthodiquement, la poussant dans ses derniers retranchements.

– De Mike? Oui, de Mike, et de vous aussi. A mon avis, vous devriez lui parler de ses défaillances.

– Lui avouer qu'il est infect au lit?

– Si vous le devez, oui, dit-il.

Il jeta un coup d'œil sur son bracelet-montre. L'aiguille faisait impassiblement le tour du cadran, les minutes s'envolaient. Elle surprit son geste et son irritation grandit.

– C'est un cercle vicieux, Kate. Mike pense qu'il vous comble de plaisir et vous le lui laissez croire. Si vous ne brisez pas ses illusions maintenant, la situation ne fera qu'empirer. Il faut absolument revenir en arrière et lui expliquer.

– Dire la vérité et confondre le diable.

– C'est à peu près ça.

– Je suis supposée le regarder dans le blanc des yeux et lui dire : « A propos, Mike, tu ne vaux pas un clou au lit! » Auriez-vous le cran de faire cela si vous étiez à ma place?

– Si je le devais, oui.

Si je le devais, pensa-t-elle. Elliott, je ne vois rien dans ta vie qui puisse te mener à une pareille impasse. Je n'arrive tout simplement pas à t'imaginer désarçonné, esclave d'une quelconque émotion, perdant ton sang-froid; je n'arrive même pas à t'imaginer enlevant tes vêtements. Alors, quel est ce gros secret? Vas-tu ouvrir la bouche? Je te paie assez cher pourtant. Comment devenir parfaite comme toi, petite tête? Où puis-je obtenir ce passeport pour le bonheur?

– Vous n'avez pas besoin de le lui annoncer si brutalement, vous me suivez? Ne soyez pas si brutale. Vous pourriez trouver une manière détournée, aimable, de lui faire savoir que vos relations sexuelles laissent à désirer.

Vos relations sexuelles laissent à désirer. Quelle expression ridicule! *(Ecoute, Mike, tu ne me baises pas assez bien, aussi tu me vois dans l'obligation d'aller prendre du bon temps dans un rêve, et le plus tordant de l'histoire, tu ne devineras jamais, c'est que le type du rêve est mort il y a des années...!)*

Elle baissa les yeux sur le dessin de la moquette. Un vers d'une vieille chanson de Bob Dylan surgit de nulle part et tournoya dans sa tête, un vers dont elle ne saisissait pas le sens! *When gravity fails and negativity won't pull you through...*

Gravité. Négativité.

– C'est peut-être de ma faute, dit-elle. C'est peut-être moi qui ne tourne pas rond, et pas Mike.

– En quoi serait-ce de votre faute, selon vous?

– Je ne sais pas. Je ne l'attire pas, je crois. Je ne suis pas attrayante.

– Allons, Kate, vous vous méprenez complètement.

– Vous trouvez que je suis séduisante?

– Bien sûr, voyons.

– Aimeriez-vous coucher avec moi?

– Oui, en toute autre circonstance, certainement. Vous êtes une femme très désirable.

– En toute autre circonstance, répéta-t-elle. Quelles seraient ces conditions?

Il sourit, montra du doigt une photographie posée sur son bureau. Sa femme, évidemment, pensa Kate en examinant le portrait. Le visage était à la fois délicat et sévère; le mince sourire qui étirait ses lèvres révélait une certaine lassitude, comme si elle s'était prêtée à cette pose sans grand enthousiasme. A quoi cela devait-il ressembler d'être l'épouse d'Elliott? Le soir venu, s'installaient-ils chacun de son côté avec le *Livre du Mois* ouvert sur les genoux? Elle devait probablement être abonnée à un cercle littéraire et lui à une revue de psychologie. Elle essaya de se les représenter devant leur poste de télévision, dans leurs pantoufles chaudes, et elle faillit éclater de rire.

– Je suis marié, expliqua-t-il. Toute morale mise à part, pourquoi compromettrais-je mon mariage, et vous le vôtre, pour quelques minutes passées au lit? Ça n'en vaut pas le risque.

– La question était purement hypothétique, se défendit-elle. *Toute morale mise à part!*

– Je le sais bien.

– Il n'empêche que parfois je ne me trouve pas séduisante...

– C'est que vous vous sous-estimez, tout simplement. Vous devez vous en ouvrir à Mike, tirer les choses au clair, sinon votre mariage court au désastre.

– M'ouvrir, dit-elle en hochant le menton. D'accord, j'essaierai. J'essaierai de délier ma langue.

– Il n'y a pas d'autre solution, vous le savez, n'est-ce pas?

– Il ne sait pas écouter, lança-t-elle en triturant nerveusement ses gants.

– Il faut que vous le forciez à écouter, Kate.

– Je l'attacherai à une chaise...

– Si vous le jugez utile, dit Elliott. Je parie que lorsqu'il comprendra votre frustration, vos rêves cesseront aussitôt.

Je ne désire surtout pas qu'ils cessent, songea-t-elle. Tu ne le sens donc pas, Elliott? *Je ne veux pas qu'ils cessent, jamais.*

– Que diriez-vous d'un autre rendez-vous la semaine prochaine à la même heure? proposa-t-il.

– D'accord.

Et voilà, on entre et puis on sort comme un coucou dans une pendule. Et avec quoi s'en allait-elle, cette fois-ci? Avec l'affligeante perspective de devoir parler à Mike.

Il la raccompagna jusqu'au seuil du cabinet en jetant subrepticement un second coup d'œil sur sa montre.

– Kate, vous ne m'en voudrez pas d'avoir écourté cet entretien, j'espère. Je suis pressé par le temps, je dois m'occuper de la préparation d'un symposium. Ah, ces congrès sont la plaie de notre profession.

– Alors ne me le facturez pas, répondit-elle du tac au tac.

Cette repartie le laissa interdit un moment. Elle remarqua sur son front une légère transpiration. (Il n'est qu'un être humain, après tout. Et moi qui avais l'impression d'avoir pour interlocuteur un enregistreur automatique! Dieu que c'est drôle, ce bon vieux docteur a chaud.) Il lui serra la main sèchement, sourit et réintégra son cabinet.

Elle longea le couloir en pensant au temps qu'il

lui restait à tuer avant le redoutable déjeuner.
Quelle poisse! Elle n'aimait pas tuer le temps.

Bip. Elliott. C'est Bobbi. Tu me remets? J'ai trouvé un nouveau réducteur de têtes, Elliott. Je n'ai plus besoin de toi. Il va m'aider. Il sait comment m'aider. Pas comme toi. Il s'appelle Levy. Tu as peut-être entendu parler de lui? Mais nous n'en avons pas encore terminé, toi et moi, Elliott. Je n'en ai pas fini avec toi... J'ai dérobé un objet dans ton bureau, aujourd'hui, Elliott. Tu devines ce que c'est? Tu ne devines pas, docteur grosse légume? Cherche dans ta salle de bains avant de donner ta langue au chat. Dans la salle de bains, tu brûleras.

Il avait arrêté le répondeur téléphonique d'un coup sec. *Cherche dans ta salle de bains.* C'est ce qu'il avait fait juste avant l'arrivée de Kate Myers. Il avait passé en revue l'armoire à pharmacie bourrée de cachets, de pilules, d'échantillons de toutes sortes, sachets et fioles offerts par les démarcheurs en produits pharmaceutiques. A chacun sa drogue merveilleuse. Variations sur des thèmes ressassés. Au début, rien ne lui avait paru manquer. Tout semblait être demeuré en place. Il savait qu'il tenait la réponse sur le bout de la langue. Et soudain, la lumière avait jailli dans son esprit. Il y avait bien un vide, mais quoi?

Le rasoir.

Bobbi avait subtilisé son rasoir.

Il avait cherché partout, remué la salle de bains de fond en comble; une véritable panique s'était emparée de lui et, tout en farfouillant fébrilement à droite et à gauche, il avait essayé de se raisonner, de reprendre le contrôle de ses nerfs. Mais ses recherches étaient restées vaines. L'objet avait bel et bien disparu. Puis il avait écouté une seconde fois l'enregistrement, immobile et pétrifié par la voix glacée de Bobbi, par ses menaces... *Je n'en ai pas fini avec toi.* Ces mots n'avaient cessé de tournoyer dans sa tête durant l'entretien qu'il avait eu avec Kate Myers. Pauvre Kate, c'est à peine s'il l'avait écoutée, même lorsqu'elle lui avait posé cette déroutante question : « *Aimeriez-vous coucher avec moi?* » Il n'avait prêté qu'une oreille distraite à sa proposition; l'angoisse qui couvait en lui était telle que la perspective de coucher avec Kate lui parut étonnamment lointaine, improbable. Un analyste et une patiente, se dit-il. Un homme et une femme. Un fusible qui saute, il te fallait verser de l'eau froide sur cette étincelle... Il la dédommagerait plus tard, en lui octroyant par exemple un plus long entretien; mais pour le moment, ce n'était pas ce problème qui le tracassait. Il avait bien d'autres chats à fouetter.

Il ne pouvait s'empêcher de trembler à l'idée que ce rasoir, cette lame d'acier, se trouvait entre les mains d'une personne telle que Bobbi. Et l'écho terrifiant susurrait à intervalles réguliers : *Je n'en ai pas fini avec toi.*

Il devait faire quelque chose.

Quelque chose.

Le musée était une véritable oasis, une bulle de douceur, un îlot de calme au milieu du tintamarre de Manhattan; pour pénétrer dans cet autre monde, il suffisait de franchir l'entrée principale et d'acheter un ticket. Pour deux dollars d'enchantement, pensa-t-elle, avec en prime un bienheureux silence, la sensation d'une sérénité enfin recouvrée. Le vacarme de l'extérieur s'estompait alors dans un lointain cotonneux. Même dans le jardin, où seuls deux touristes japonais mitraillaient la sculpture en acier orange de Caro, on pouvait s'arranger pour oublier que la ville érigeait tout autour ses gigantesques constructions, qu'elle enfermait ce havre de paix entre les barreaux d'une monstrueuse prison. Elle regarda un moment les deux touristes s'ébaubir devant le *Midi* de Caro, aller et venir comme deux mouches du coche, choisir un angle, clic, un autre, clic. On eût dit qu'ils y passeraient leur vie, qu'ils n'accepteraient de quitter cette œuvre que lorsque celle-ci aurait livré son dernier secret, ou rendu l'âme. En les observant, elle se rendit compte qu'elle n'avait jamais beaucoup aimé cette sculpture. Trop abstraite, trop mécanique. Ça ne ressemblait pas du tout à l'idée qu'elle se faisait de midi. Pour elle, qu'il pleuve ou qu'il vente, c'était l'heure de la plus grande chaleur, de la plus grande proximité du soleil; mais dans cette sculpture, hormis le vernis de peinture rouge, rien ne suggérait cet état radieux.

Elle s'arrêta un instant pour admirer le *Grand torse* de Moore. Elle effleura du bout des doigts la forme cambrée, puis leva les yeux vers la fenêtre qui éclairait sa salle préférée, celle qu'elle se réservait toujours pour la fin. Là-bas reposaient les *Nénuphars.* Elle s'éloigna à pas lents de l'œuvre de Moore, son regard soupesa la fécondité de la *Femme assise* de Lachaise. Sexuée. Larges hanches, seins lourds. L'incarnation de la terre-mère, se dit-elle en souriant inperceptiblement. Elle vous donnait envie de courir l'enlacer, de vous mettre à l'abri sous sa chair opulente. Idiote, ce n'est qu'une sculpture. Elle s'en approcha sans toutefois la toucher; l'impression de chaleur qui émanait de l'objet lui suffisait. Un hélicoptère traversa le ciel au-dessus de sa tête, le bruit des pales brassant l'air l'énerva. Et ces deux touristes qui n'en finissaient pas d'actionner leurs appareils. Pourquoi suis-je toujours ainsi chaque fois que je sors de chez Elliott ? Pour mettre un comble à son irritation, la corvée du déjeuner lui revint à l'esprit. Une belle journée en perspective ! *(Comment allez-vous aujourd'hui, Katherine ?* Jamais Kate. *Mike m'assure que vous voyez encore cet analyste. Grand Dieu ! De quoi essaie-t-il donc de vous guérir ?* Qu'elle aille au diable. Je lui enfoncerais bien une baguette de pain dans le gosier. Tiens, belle-maman, étrangle-toi avec ça.)

Elle réintégra le bâtiment. C'est en se dirigeant vers les escaliers menant à l'étage supérieur qu'elle ressentit une curieuse impression. Quelqu'un la suivait, quelqu'un s'attachait à ses pas. Peut-être même l'avait-il surveillée tandis qu'elle errait dans le jardin. Mais non, voyons, c'est stupide. Tu déraisonnes, Kate. Ton imagination te joue des tours. Elle se retourna. L'homme. Il ne la regardait même pas. Les yeux baissés sur un catalogue, il montait les escaliers derrière elle. Visiblement, ce n'est pas moi qui l'intéresse. Quand cesseras-tu de te prendre pour le nombril du monde ? *Un homme te suit.* En quel honneur ? Elliott ne venait-il pas de lui assurer qu'elle était séduisante ? Oui, peut-être bien qu'il te suit. Qu'il veut te draguer. Marrant. Se faire lever au *Museum of Modern Art.* En quoi était-ce si drôle ? Culture et Sexe, quel couple. Et s'il faisait seulement semblant de s'intéresser à ce catalogue ?

Kate, Kate, tu es en train de rêver. S'il essayait de lier conversation avec toi, quelle serait ta réaction ? Terriblement victorienne – comme par exemple de lui souffleter le visage avec tes gants? Ou bien filerais-tu sans demander ton reste?

Elle s'arrêta devant le *Songe* de Rousseau. Une jungle. Cette chatoyante luxuriance lui paraissait extraordinairement accueillante; elle s'y serait volontiers égarée sans craindre de mauvaise surprise, comme si le tableau lui tendait la main courtoisement : *Tout va bien, vous pouvez entrer, rien dans ce songe ne vous nuira.* Elle pivota et jeta un regard circulaire dans la salle. L'homme avait disparu. Tout compte fait, il n'en avait pas après elle. Tu vois bien, ce sont tes peurs qui te travaillent. Elliott lui avait affirmé un jour que sa plus grande ennemie était elle-même. *Vous n'avez pas suffisamment confiance en vous, Kate. Vous ne manquez pourtant pas de qualités, croyez-moi.* Et comment! Ne suis-je pas séduisante? Que demander de plus?

Elle poursuivit sa visite. Devant les *Masques affrontant la mort,* de James Ensor, l'effroi la saisit. Ce tableau lui donnait toujours la chair de poule. Ces faces voilées fixaient le promeneur de passage si intensément qu'elles semblaient le mettre au défi de les accompagner en enfer. Elle perçut un mouvement dans son dos. Du coin de l'œil, elle vit l'homme de tout à l'heure : ses cheveux étaient noirs, il portait un blouson léger et un pardessus pendait à son bras. Son regard enveloppa Kate fugitivement puis se perdit, ailleurs. L'avait-il seulement remarquée?

Je suis belle. Elliott me l'a assuré. Vas-y, Kate, prouve-toi que tu peux plaire aux hommes. Laisse-le te draguer si c'est ce qu'il désire. Lui, hélas, ne donne guère l'impression de se triturer les méninges. Regardez-le feuilleter son catalogue. A le voir, on ne croirait pas que j'existe, pensa-t-elle, furieuse contre elle-même. Mais qu'est-ce qui m'arrive? Qu'est-ce que je fais, bon sang? Est-ce que je souhaite vraiment qu'il m'embarque? Le tragique cliché. *Femme d'intérieur névrosée baise étranger. Ramassage au Museum indiqué.* Flash. Elle respira profondément et marcha vers le tableau suivant. *Trois Femmes,* de Léger. Ce n'était pas la première fois qu'elle tentait, vainement d'ailleurs, de comprendre cette œuvre, de recomposer rationnellement ces formes disjointes et morcelées. Ce devait être l'un de ses problèmes que de chercher le rationnel dans un monde où le hasard régnait en maître. Apprends à être irrationnelle, cela vaudra mieux pour toi. Baisse la garde, abandonne-toi à la folie de cette peinture. Succombe, comme dans le rêve. Exactement comme dans le rêve.

Sa montre marquait 11 h 30. Le déjeuner était à 13 heures. Il lui restait encore pas mal de temps à tuer dans le musée. Elle avança. A quelques pas derrière elle, l'inconnu en fit autant et s'arrêta à son tour devant le Léger. Le front légèrement incliné de côté, il offrait toute l'apparence d'une profonde méditation. A toi de jouer, mon vieux. Voyons un peu si tu es capable de les reconstituer, ces trois femmes. Elles ne sont que de la peinture sur une toile, idiot. *Moi, je suis réelle. Regarde-moi. Je suis réelle.*

Elle eut une envie irrésistible de s'esclaffer. Décidément, elle perdait la tête. Où voulait-elle en venir? Faire de ces sordides minutes une épopée? Ou bien prenait-elle seulement plaisir à imaginer qu'il avait *conscience* de sa présence? Qu'il se morfondait? Oui, elle eut envie de laisser échapper un rire sardonique et de déclarer à l'homme : Tu vois cette alliance? Je suis une femme mariée depuis belle lurette. Alors garde tes sales pensées pour toi, mec! Je suis une propriété privée. Je n'appartiens qu'à quelques privilégiés, à savoir mon mari, et le violeur de mes rêves! Elle quitta la salle et s'abîma dans le *Calvaire* de Chagall, une peinture qu'elle aimait énormément pour cette souffrance suprême qui débordait de la toile et entretenait sa propre déréliction, parachevant pour ainsi dire ce que l'artiste n'avait pu pressentir. Elle fixa l'œuvre une minute ou deux, et soudain elle sortit de sa morne contemplation; elle n'avait rien vu, ni calvaire, ni tableau, ni mur, elle avait simplement attendu que l'homme réapparaisse. Et l'aborde. Comment s'y prendrait-il? *Pssst, ça vous dit de baiser? Vous avez vingt minutes à tuer?* Ou bien : *Je possède quelques estampes...* Estampes, estampage. Mais, apparemment, il n'avait pas réussi à s'arracher à la vision des trois femmes de Léger. Aussi, vaguement écœurée, elle passa dans la salle qu'elle s'était réservée pour la fin. *Nénuphars,* de Monet. L'endroit baignait dans le silence et la paix. Elle s'assit devant les immenses toiles et se laissa doucement engloutir dans la magnificence des couleurs et des reflets. Par l'ouverture qui dominait le jardin, elle aperçut les deux touristes; ils avaient abandonné l'œuvre de Caro et faisaient maintenant un sort à *La rivière* de Maillol. Gesticulant comme des fous, ils traçaient dans l'espace un ballet abracadabrant, baissaient la tête, pliaient les genoux puis se relevaient, trois pas de côté et clic et pointaient et reclic. Elle suivit leurs mouvements disgracieux et, bientôt lassée de ce tournis, ferma les paupières.

Elle revenait souvent ici goûter tranquillité et repos. Elle absorbait cette manne, elle aurait pu même s'y rouler, flotter, rêver qu'elle avait franchi les limites de la ville, qu'elle existait en dehors de l'espace et du temps, en dehors d'elle-même.

Elle ouvrit les yeux, son regard tomba sur la moquette qui tapissait le sol d'un mur à l'autre, et elle tressaillit. Une énorme tache imbibait le tissu tout autour de son siège. Une souillure humide, décolorée, comme si la peinture du toit, rongée par les pluies et les années, ruisselait jusqu'ici goutte à goutte. Une telle dégradation était donc possible dans cette merveilleuse salle, dans sa salle? Elle leva les yeux au plafond; des infiltrations brunâtres constellaient toute sa largeur. Puis elle remarqua la fêlure qui étoilait la vitre de la fenêtre et qu'on avait recouverte à la hâte d'un ruban adhésif transparent. Non, s'ingurgea-t-elle, pas dans *cette* pièce! Cet endroit jadis immaculé, voilà qu'il cédait peu à peu à la saleté du dehors, au vandalisme de la nature. Une vitre craquelée. Des taches. Soudain elle en vit partout et, comme harcelée par une meute, elle se mit debout juste à l'instant où l'homme entrait dans la galerie. Cette fois-ci, pas de doute, il la regardait; mieux, il lui faisait signe de la main. Troublée, décontenancée par cette brusque apparition, elle pensa : Laisse-moi tranquille, fous-moi la paix. Elle passa devant lui en évitant son regard, leurs bras s'effleurèrent, il l'appela, elle pressa l'allure en espérant le semer dans l'une des salles voisines. Elle pouvait demander l'aide d'un des gardiens – ils étaient faits pour cela, non? *Ecoutez, cet homme-là m'ennuie...* Les pas assourdis couraient toujours derrière elle, une voix brisait le silence... *Hé, madame, madame...* Elle descendit les escaliers quatre à quatre. A demi affolée, indécise, elle saisissait des images par éclairs : le trafic intense de la rue, les reflets du soleil sur les voitures, un étudiant des Beaux-Arts vérifiait sa sacoche, un gardien était debout devant le bureau de l'entrée, les bras ballants et l'air oisif. Va donc le trouver, se dit-elle, et raconte-lui tes ennuis, vas-y et...

Pourquoi hésites-tu?

Elle lorgna par-dessus son épaule vers le haut des escaliers. Personne. Rien qu'un brouhaha feutré, mais pas sa voix. Elle repassa dans le jardin, capta le baragouinage des deux touristes; par une étrange illusion d'optique, elle crut en voir plusieurs, quatre ou cinq virevoltant de-ci de-là. Elle contempla de nouveau la *Femme assise...* cette maturité, cette fertilité offerte, cette bienveillance. Tu veux qu'il t'embarque avec lui, n'est-ce pas? C'est ce que tu désires, non? se dit-elle en tordant son gant entre ses doigts. Son gant? Elle n'en avait qu'un, elle avait dû perdre l'autre quelque part dans une galerie du haut. Aucune importance, bon Dieu! Elle regarda le ciel et fut prise de vertige, une boule épaisse et sèche obstruait sa gorge. Elle rebroussa chemin. *Tout ceci est stupide! Tu as un comportement absurde. Tu ne connais pas cet homme...* Il était là, il traversait le foyer à grandes enjambées vers la sortie du musée. Elle demeura une seconde pétrifiée, se contentant de le suivre des yeux tandis qu'il poussait la porte de verre et surgissait dans la rue. Elle marcha mécaniquement derrière lui. Pourquoi te conduis-tu de la sorte? Pourquoi, pourquoi, pourquoi? La chaleur du soleil se plaqua sur ses traits qui lui parurent gonfler et se boursoufler. Arrête, se dit-elle, ne va pas plus loin.

Il hélait un taxi de l'autre côté de la rue. Elle vit la voiture se ranger le long du trottoir, l'homme ouvrir la portière et s'engouffrer à l'intérieur... puis lui faire signe à travers la vitre baissée. Il leva une main en l'air, il y avait quelque chose au bout de ses doigts. Le gant. C'est tout? Il voulait simplement lui rendre son gant. Rien de plus. Un vide énorme se creusa en elle, son sang reflua à toute vitesse dans ses veines. Il m'attend, pensa-t-elle. Il fait de grands gestes avec ce satané gant et il me sourit. Ce sourire... il y a autre chose dans ce sourire. Bah, tu n'es pas obligée de traverser la rue. Tu peux le lui laisser, ce gant. Tu peux tourner au premier carrefour et aller ton chemin. Le déjeuner. Oh non! *(On dirait que Mike a perdu du poids, Katherine. Vous ne le nourrissez pas convenablement?* Mike qui opine du chef, qui veut se faire cajoler. La figure ridée de la vieille chauve-souris, les baguettes de pain constellées de grains de sésame, les allées et venues du garçon de restaurant. Les récriminations continuelles de belle-maman.)

Elle traversa la chaussée. La portière du taxi était ouverte. Elle voulut prononcer quelques paroles, mais des mots ridicules se pressèrent dans son esprit. Je crois que vous avez mon gant. Voyez? Ils sont identiques. Ce doit être être le mien, aussi voulez-vous me le rendre? L'homme ne dit rien, il l'empoigna et l'attira à l'intérieur, tout contre lui, en riant. Cette histoire ne tient pas debout, songea-t-elle. On dirait que j'obéis à un scénario qui a été établi sans moi, dans lequel je n'ai aucune initiative sinon celle de tenir le rôle que le scénario m'a assigné. Je n'arrive pas à me ressaisir. Il ne l'embrassa pas. Il la maintint seulement contre lui, fermement; leurs visages se touchaient, elle sentit l'âpre parfum d'une lotion après-rasage, du musc semblait-il. Elle voulut s'échapper, se sauver, prendre son gant et partir à toutes jambes, mais le taxi démarrait et pénétrait dans la circulation. Et il prit sa bouche. Lèvres contre lèvres, la sensation piquante d'être embrassée par un inconnu avec lequel pas un mot n'a été échangé, le contact de ses dents, de sa langue cherchant la sienne. Ce n'est pas à moi que tout cela arrive, pensa-t-elle, rien de tout cela n'est vrai. Pourtant dans le rêve aussi c'était ainsi que les choses se passaient, lorsque la main emprisonnait sa bouche pour l'empêcher de crier; dans le rêve aussi cette pensée revenait, lancinante : rien de tout ceci n'est en train de m'arriver. Et elle se donna au rêve autant qu'à l'homme dont elle ignorait jusqu'au nom.

Elle comprit alors qu'il existait une ligne qu'on pouvait franchir, au delà de laquelle s'étendait un territoire différent, obscur et délicieux, silencieux comme le fond d'un océan, où rien d'autre que les émotions n'avait de sens.

J'espionne avec mon petit œil...

La femme blonde élancée avec les grosses lunettes noires et le sac en bandoulière suivit des yeux le taxi qui démarrait. Il stoppa au premier feu rouge. Cher docteur Elliott, pensa-t-elle, chère petite pourriture de réducteur de têtes, tu paieras. Oh, comme tu vas payer. En chair et en sang, salaud. Avec toute la chair et tout le sang qu'il faudra.

2

L'implacable sonnerie du téléphone tira Liz d'un sommeil de plomb. Elle ouvrit péniblement les paupières, cilla devant la cruelle lumière qui filtrait à travers les rideaux de la chambre et maugréa contre la vie qu'elle menait. Elle n'était rentrée se coucher qu'à l'aube et, après avoir avalé un somnifère, elle s'était traînée jusqu'au lit, éreintée et moulue. Enfin la chaude quiétude du sommeil et la solide présence de ce mur sombre l'avaient engloutie. Eblouie par le soleil, elle garda les yeux étroitements clos; sa main tâtonna vers le téléphone posé sur la petite table de chevet et renversa au passage un verre d'eau à moitié plein. Elle jura. Le liquide se répandit autour d'une boîte de mouchoirs en papier puis tomba goutte à goutte sur la moquette. Elle se redressa, les jambes lourdes, les mollets endoloris, sentant la fatigue irradier jusque dans la moelle des os. Le bas de son dos aussi l'élançait; son corps tout entier semblait se déchirer par le milieu, à la couture, comme un soutien-gorge d'occasion. Après une telle nuit, à quoi t'attendais-tu? se dit-elle. A un réveil en fanfare? Elle saisit enfin le téléphone tandis que l'autre main massait avec application son mollet droit.

– Voici un message enregistré à la morgue, dit-elle dans l'appareil. Liz est présentement dans une forme voisine de la mort. Lorsque vous entendrez le bip...

– Merde.

– Norma?

– Norma, répéta placidement la voix.

– Tu ne veux pas me rappeler un peu plus tard, dis? (Saleté de soleil, il perçait ses paupières comme des aiguilles de feu.)

– Pas possible, bébé, répondit la voix à l'autre bout du fil.

– Je suis fourbue. F,O,U,R,B,U,E. Fourbue.

– L'orthographe, ça me connaît, Liz. Tu as un stylo à proximité?

Liz ouvrit les yeux et regarda d'un air morne la petite mare qui stagnait sur la table de nuit. Des mouchoirs en papier trempés d'eau, un stylo à bille mouillé, des bouts de feuillets chiffonnés et des mégots de cigarettes. Je pourrais ouvrir une boutique avec ce tas d'ordures, pensa-t-elle en ricanant. Le stylo ne doit plus écrire, évidemment, et le papier est tout gluant. Si un flic entrait dans cette pièce – quelqu'un habitué à saisir ces menus détails du premier coup d'œil –, il la toiserait avec dégoût et laisserait tomber : *Je vais vous dire une chose, vous n'êtes pas une fille qui sait tenir son intérieur.*

– Tu es prête? demanda Norma.

– Non, mais envoie quand même.

Norma lut à haute voix une adresse située dans la 70e Rue Ouest, donna le numéro de l'appartement et le nom.

– Tu veux que je répète?

– Je crois que cela ira, dit Liz en essayant de déchiffrer ce qu'elle avait écrit.

– Alors répète l'adresse.

Liz obtempéra, les paupières à demi fermées à cause de la luminosité. Pourquoi y avait-il autant de soleil justement aujourd'hui? On aurait pu attendre de la part du Créateur une certaine considération pour sa créature. Pas du tout! Vous vous sentez terriblement mal, voilà un bon coup de soleil aveuglant pour vous remonter; vous vous sentez vraiment bien et vous recevez un million de litres d'eau de pluie sur la figure.

– A quelle heure? (Elle passa le bout de la langue sur la pointe du stylo à bille.)

– 16 h 30.

– Et quelle heure est-il?
– Midi et 3 minutes.
– Midi et 3 minutes? C'est tout?
– Non, 4 maintenant, d'après ma digitale.
– Merci pour la précision.
– *Texas Instruments,* tu sais.

Liz raccrocha puis se renversa en arrière, les yeux clos. Elle sentait venir le mal de tête; quelque part à l'intérieur de son crâne le pilonnage gagnait en intensité. Elle avait bu du champagne plus que de raison, la veille. Ce gars de Dallas en raffolait littéralement et grâce à ses largesses le Dom Perignon avait coulé à flots, bouteille après bouteille. Et si Norma lui avait joué un de ses tours habituels, un de ces calembours qu'elle affectionnait? *Texas Instruments.* De toute façon, elle comprenait toujours ses plaisanteries une seconde trop tard. Elle se tourna sur le flanc. Ce gars de Dallas, juste avant de tomber ivre mort, avait bafouillé quelque chose à propos d'une certaine action cotée en bourse. Essaie de te souvenir, essaie! *Ça va grimper, chérie, le 4 juillet, plus vite qu'une fusée.* Le nom de cette satanée action?

Auto quelque chose.

Auto quoi?

Elle se mit debout, gagna la salle de bains en se cognant aux murs et là, une fois la tête penchée sous la poire de la douche, elle ouvrit à fond le robinet d'eau froide. Le choc fut terrible. Elle arrêta illico le jet en poussant des gémissements de douleur. Elle prit une serviette propre pendue au loquet de la porte, s'en couvrit les cheveux et passa dans la cuisine. Tout en massant son crâne, elle sortit une bouteille de jus d'orange du réfrigérateur et fit sauter la capsule. Il avait un goût de vinaigre.

Elle s'assit pesamment sur un tabouret, alluma une cigarette, le regard perdu vers la fenêtre ensoleillée. *Bébé a besoin de ses vitamines.* Dans des moments comme celui-ci, le souvenir des remontrances de sa mère finissait toujours par percer l'hébétude brumeuse qui enveloppait ses idées. *Bébé a besoin de ceci, bébé a besoin de cela.* (Auto quoi? Auto-Tech? Auto-Flagellation?) Pourquoi, lorsqu'elle se sentait à plat, entendait-elle toujours la voix de sa mère? Culpabilité, bien sûr. La face cachée de cette abominable morale puritaine. Elle avala une gorgée de jus d'orange, fit la grimace, et repoussa la bouteille. C'était la faute de ses lettres. Une fois par semaine, avec une régularité accablante, arrivait une lettre de Chicago, une lettre remplie du cortège habituel de platitudes réconfortantes rédigées d'une écriture illisible et des avertissements maternels sur les périls de la grande ville (comme si Chicago était une bourgade de paysans). *Je sais que tu aimes ton travail, ma petite, et je sais tout le bien que tu ressens à apprendre à lire à ces enfants noirs, mais j'ai peur que tu ne prennes pas assez soin de toi.*

Apprendre à lire! *Le service d'escorte des cours de rattrapage,* discrétion assurée. Elle jeta sa cigarette dans le vide-ordures. Parfois, elle songeait sérieusement à retourner à Chicago, à s'installer dans cette pièce obscure et encombrée que sa mère appelait le « petit salon », et à déballer toute la vérité au sujet de « bébé »! Ecoute, maman, je vais te dire ce qu'il en est. Je ne m'occupe pas vraiment d'éducation, du moins pas au sens où tu l'entends. Mon travail se rapproche plus de... c'est-à-dire... hem, hum, des *relations sociales.* Elle essaya d'imaginer la figure que ferait sa mère, le visage livide, l'incompréhension. *Ma petite est une...?*

Franchement, oui. Une simple question d'argent, maman.

Songes-y, Liz.

Elle farfouilla de nouveau dans le Frigidaire. Excepté une autre bouteille de jus d'orange, deux œufs – dont un cassé –, une boîte de maïs vide et un vieux morceau de sandwich avarié, il n'y avait rigoureusement rien à se mettre sous la dent. Si sa mère jetait un coup d'œil à l'intérieur de ce réfrigérateur, elle en mourrait sur-le-champ. Un cauchemar de diététicienne. Elle regarda l'horloge de la cuisine. 12 h 19. Elle se demanda si elle avait encore le temps de faire un petit somme, mais maintenant qu'elle était debout, cela n'en valait plus la peine. Elle repensa au type de Dallas. Il portait un costume qui semblait sortir tout droit d'un musée dédié aux reliques de Hank Williams. Des poches obliques en forme de flèche. Du bon argent texan. On le reniflait rien qu'à voir les plis de ses vêtements. Il flottait autour de sa personne comme une aura angélique.

Elle passa dans le salon et s'affala sur le sofa. Son regard erra dans la pièce. Elle ne s'était jamais sentie chez elle, ici. Trop propre, trop bien rangé, le salon ressemblait à une publicité de magazine. Même les cendriers étaient vides et brillants. Elle croisa les jambes, ferma les yeux et s'adossa au canapé. Elle ressentait encore la fatigue de la nuit dans ses muscles froissés. AutoTron! C'est cela, *j'en jurerais.*

Elle s'empara du téléphone posé sur une table basse et composa un numéro. La fille prétentieuse qui tenait le bureau de Max décrocha; elle parlait avec une pointe d'arrogance, l'air d'avoir peur d'attraper des microbes.

– Liz Blake. Passez-moi Max.
– Je vais voir s'il est disponible. Ne quittez pas.
Des grincements, des bourdonnements. Puis Max prit l'écouteur et comme d'habitude elle songea, en entendant sa voix de baryton, aux reporters radio décrivant une guerre lointaine.
– Comment va la vie, Max?
– Toujours aussi impénétrable.
– J'ai une question à te poser. Quelle est la cote d'AutoTron?
– AutoTron... Une minute, laisse-moi vérifier. (Elle entendit le bruit de papiers qu'on remue et qu'on froisse. Elle l'imagina farfouillant sur son bureau en désordre, noyé sous des piles de paperasses. La nature n'avait guère été généreuse avec lui, car malgré sa voix il avait l'aspect d'un gnome.) AutoTron... AutoTron... voyons voir. Tu as obtenu un tuyau, quelque chose dans ce goût-là?
– Le bon cheval, mon cher, assura-t-elle.
– Ah, nous y voilà. AutoTron se maintient dans l'exercice en cours à 15.60. Un-cinq-six-zéro.
– Raconte-moi ce que tu sais à ce sujet.
– C'est une société en pleine expansion, spécialisée dans l'industrie légère. Des composants électroniques, essentiellement. Etablie surtout à Fort-Worth. Ses affaires marchent très fort depuis un certain temps. Si tu espères un effondrement boursier, ce n'est pas le bon numéro.
– Quand m'as-tu vue spéculer, mon chou? J'ai tout sauf l'âme d'une joueuse. (Elle hésita. Où diable était donc passée sa calculatrice?) Je peux acquérir combien d'actions avec mille dollars tout neufs?
– Pour mille dollars, cela te ferait... (Elle l'entendit frapper les touches de sa calculatrice.) 64, dit-il enfin, plus un peu de monnaie.

– Tu as le feu vert. Achète-les pour moi.

– Tu veux que je vende mon mobilier pour te les acheter?

– Non. Ecoute, j'aurai la somme en liquide demain, ça ira?

– D'accord.

– Merci, Max.

Elle raccrocha et fit les cent pas dans le salon. Avait-elle eu raison de faire confiance aux propos décousus d'un Texan ivrogne? Il vaudrait mieux pour toi que le tuyau soit correct, bébé, pensa-t-elle. Elle alla à la fenêtre et contempla l'animation de la rue. Deux ans. Elle s'était donné deux ans pour réussir à ce jeu. Investir et économiser, économiser et investir, en profitant de toutes les occasions. Après quoi elle s'en irait vite fait. Mais brusquement, ces deux années lui parurent une éternité, une tranche énorme dans sa vie. Un sacré trou. L'image de sa mère revint danser devant ses yeux. Ce n'est que pour deux ans, se dit-elle. Ensuite, tu pourras quitter le néon froid de la grande nuit américaine... Pour aller vers quoi? Pour retourner vers quoi?

Vers un travail quelconque. Vers une situation qui la dédommagerait de ces deux années d'enfer. Elle n'avait pas encore fait le calcul exact.

Elle poussa un soupir et se détourna de la fenêtre. Enthousiasme, où es-tu lorsque j'ai le plus besoin de toi? Elle chercha dans la penderie de sa chambre à coucher une robe à se mettre. Elle se regarda dans la grande glace. Elle y vit une jeune femme séduisante que le métier n'avait pas encore détruite; l'image même de l'innocence. L'innocence guindée et lisse d'une ancienne candidate au titre de Reine du bal costumé des Producteurs de soja de l'Illinois. Tout ce qu'il me faut, songea-t-elle, c'est une belle écharpe, une robe d'un blanc virginal, et ce sourire évanescent qu'on ne peut obtenir qu'en tuant toute émotion.

Elle fit une grimace à son reflet et referma la penderie.

La cabine téléphonique se trouvait juste en face de l'immeuble, à l'angle de deux rues. Elle composa le numéro sans cesser d'épier la façade de béton. Un pigeon noir s'envola lourdement d'un rebord de fenêtre. Elle glissa deux pièces dans la fente. Pesamment, comme si ses ailes le soulevaient avec peine, l'oiseau disparut dans les airs. Au beau milieu de la rue, un jet de vapeur échappé d'une tuyauterie crevée fusait dans la lumière de l'après-midi finissant. Elle reposa le téléphone sur son socle et les pièces chutèrent en tintant. Elle ôta ses lunettes noires, frotta ses yeux. La peur s'était emparée d'elle un peu auparavant, elle avait alors senti la pointe aiguë de la rage la marquer au fer rouge; mais là, dans cette cabine crasseuse, elle avait dépassé toute frayeur. Le vide absolu. A moins de penser à Elliott. Et au nom de quoi laisserait-elle Elliott s'immiscer dans son esprit? Elle consulta les pages sales et grisâtres de l'annuaire en lambeaux. Hôtels, hôtels. L'*Americana.* Une fois qu'elle trouva le numéro, elle remit des pièces de monnaie dans l'appareil. Elle obtint le réceptionniste et demanda la communication avec la chambre 609. Puis elle entendit sa voix.

– Walter?

– Qui est à l'appareil?

– Vous ne vous souvenez pas?

Il y eut une pause à l'autre bout du fil, puis il dit :

– Bobbi?
– Oui. (Elle remit ses lunettes noires. Un vendeur de journaux passa à côté de la cabine et la regarda avec insistance.) Je suis désolée pour l'autre nuit.
– Oh, ça ne fait rien. Je crois que j'y suis allé un peu fort.
– Non, c'était ma faute.
– Ce n'était la faute de personne.
– Non, c'était à cause de moi. Je ne pouvais pas...
Son esprit se vida subitement; elle oublia ce qu'elle allait dire. Elle entendit Walter rire.
– Ecoutez, chérie. Je suis un paysan, je ne m'y connais pas très bien dans ces choses-là. J'ai mal compris la situation, voilà tout. Qu'est-ce que Pocatello Walter peut savoir? A peu près rien.
Un camion portant sur les flancs le sigle « Mayflower » longea la rue en grondant sourdement. Elle aurait voulu lui couper la parole, lui dire : Vous ne comprenez pas, Walter. Vous ne devinez pas pourquoi je me suis sauvée de la sorte. Vous ne *commencez* même pas à comprendre et je suis dans l'impossibilité de vous expliquer mes raisons.
– Vous vous embarquez aujourd'hui? dit-elle enfin en jetant un coup d'œil sur la façade de l'immeuble. (Tout en haut, une silhouette se découpa dans une fenêtre puis disparut.)
– Oui, dans environ vingt minutes. Vous avez eu de la chance de m'avoir au téléphone.
– Je désirais seulement m'excuser.
– Ecoutez, avez-vous un numéro? Je pourrais vous appeler si par hasard je revenais. On s'y prendra plus doucement la prochaine fois...
Elle raccrocha. La joue collée à la vitre froide de la cabine, elle pensa : La prochaine fois? Comment

aurait-elle pu promettre des « prochaines fois »? L'avenir lui semblait parfois aussi impénétrable et effrayant que des cartes retournées. Existait-il seulement, l'avenir? En tout cas, s'il existait, elle n'avait aucune maîtrise sur lui. Ce n'était pas comme Elliott. Il en avait, lui, de la maîtrise. Sur tout.

De nouveau, elle sentit la rage gonfler sa poitrine. Mais l'effet n'était plus le même; oubliée la vague brûlante d'antan, c'était maintenant un froid glacial qui parcourait ses artères, et elle analysa cette progression avec un détachement souverain, une lucidité remarquable. *Je ne veux pas penser à toi, Elliott. Va te faire foutre.*

Dans son dos, quelqu'un frappa un coup sec sur la vitre.

– Madame, vous utilisez ce téléphone?

L'air hébété, Bobbi fixa l'homme, sa petite face rougeaude et cette morgue caractéristique de nombreux New-Yorkais. Pourquoi n'allaient-ils pas jusqu'à se coller une étiquette sur le front? *Moi contre tout le monde.* Ou s'accrocher un slogan de ce genre autour du cou?

– D'après vous, qu'est-ce que je suis en train de faire?

– Difficile à dire, madame.

Elle lui claqua la porte au nez d'un coup de genou. Elle glissa d'autres pièces dans la fente de l'appareil et composa un numéro qu'elle connaissait trop bien. Doux Jésus, pourquoi n'était-il jamais à son bureau? *Bip.* Et sa voix plate et lointaine transmise par le répondeur. Elle se souvint brusquement qu'elle s'était effondrée en larmes, la bouche collée contre le téléphone, qu'elle avait crié et sangloté tandis qu'à l'autre bout du fil le répondeur automatique enregistrait imperturbablement son hystérie. Elle avait alors compris combien son attitude ridicule ne pouvait que la desservir; personne ne l'écoutait, il n'y avait rien qu'une machine de l'autre côté, pas un être humain. Seulement un gadget et une bande magnétique. *Pourquoi, Elliott?* Elle avait hurlé cette question tant et tant de fois, sans jamais obtenir de réponse. *Pourquoi, Elliott? Pourquoi ne veux-tu pas accepter ma requête? T'ai-je fait quelque chose de mal?* Mais cela s'était passé il y a bien longtemps, et aujourd'hui, elle n'allait pas recommencer la même grossière erreur, cette fois-ci elle n'allait pas se montrer aussi piteusement vulnérable. Surtout pas devant lui. En outre, elle avait Levy, maintenant. Il était bien différent, Levy, plus doux, plus chaleureux, une sorte d'oncle presque oublié.

Elle pinça ses narines afin d'imiter la voix nasillarde et fluette d'Elliott.

– Je ne peux pas accepter votre requête, Bobbi. Je ne vois pas pour quel motif je le ferais, et ce n'est pas en agissant comme vous le faites à présent que vous me ferez changer d'opinion. (Elle s'esclaffa bruyamment dans le téléphone.) Comment était l'imitation, Elliott? Pas mal du tout, hein? (Avant de poursuivre, elle leva les yeux vers l'immeuble d'habitation, de l'autre côté de la rue. Rien ne bougeait aux fenêtres, pas la moindre silhouette ne se profilait derrière les rangées de carreaux impeccablement alignées. Seule la lumière du soleil couchant colorait encore cette grisaille uniforme.) Elliott, reprit-elle, j'imagine que tu as trouvé l'objet que j'ai dérobé, n'est-ce pas? Je devrais plutôt dire, *tu ne l'as pas trouvé.* Ce serait plus correct, *à présent.* Plus grammatical, *à présent.* Alors tu te demandes : mais que va-t-elle faire de mon rasoir? Vrai ou faux?

Elle erre dans les rues avec un rasoir dans son sac... Et tu n'aimes pas du tout cette idée, avoue! Mais tu ne sais pas où je suis, où aller me chercher. (Elle répéta en chuchotant :) *Tu ne sais pas où je suis.*

Elle reposa le téléphone brutalement et sortit de la cabine, le sac pendu à son épaule. L'homme pénétra à son tour dans la cage vitrée en maugréant à voix basse contre les femmes. Elle demeura immobile sur le trottoir, le regard tourné vers l'entrée de l'immeuble. Un sourire mystérieux flottait sur ses lèvres, le signe d'un secret trop lourd.

Elle se mit en route vers l'autre côté de la rue.

L'ascenseur emportait Liz vers le cinquième étage. En levant la tête, elle aperçut un miroir fixé au plafond de la cabine. Sous cet angle, son corps semblait étrangement rapetissé. Malgré son expérience, elle ressentait encore une sourde inquiétude à l'idée de se rendre dans l'appartement d'un inconnu. Elle aurait pourtant dû être caparaçonnée contre ce genre de sentiment. Ce n'était pas le cas. Comme une actrice qui soir après soir jouerait une même scène sur les planches d'un théâtre, le trac l'empoignait juste avant le lever du rideau. Instinctivement, elle vérifia une fois encore sa mise dans la glace au-dessus de sa tête. Bah, pourquoi te faire tant de souci à propos de ta toilette, pensa-t-elle; la plupart du temps, ils s'en fichent royalement, trop saouls pour remarquer quoi que ce soit ou trop égoïstes pour t'accorder la moindre attention. Tu auras droit, comme d'habitude, à leur couplet préféré : leur vie. (*Pittsburgh, c'est ça; j'ai vécu là-bas toute ma vie. Bel endroit. Vous voulez voir une photo de ma ferme?*)

L'ascenseur stoppa. Elle sortit, longea le couloir.

Le numéro de l'appartement, bon Dieu, c'était quoi déjà? Elle s'arrêta sous un plafonnier, chercha dans son sac le bout de papier sur lequel elle avait griffonné l'adresse. Appartement *524*. A quoi ressembles-tu, cinq-deux-quatre? Elle le trouva enfin, consulta une dernière fois son miroir de poche (trop de rouge à lèvres, peut-être?) et appuya sur le bouton de la sonnette. La porte s'ouvrit aussitôt, comme si l'homme était resté planté là depuis le matin à épier sa venue. De taille moyenne, un visage quelconque, il paraissait cependant assez engageant – du moins autant qu'elle pouvait l'affirmer au premier coup d'œil. Parfois on attrapait la chair de poule en tombant sur des excentriques inquiétants, des cinglés, des noceurs au portefeuille bourré d'oseille ou des hystériques vêtus de cuir, de reliques nazies, les cheveux rasés. Toutes ces saletés lui donnaient la nausée et elle songeait alors avec surprise : *Hé, je suis normale et sans vice! Regardez-moi, je n'ai aucune manie!*

Elle avança dans l'entrée. L'homme referma la porte.

– Je suis Liz, dit-elle. Emmène-moi au septième ciel!

– Ted, se présenta-t-il.

– Contente de faire ta connaissance.

Elle regarda rapidement autour d'elle. Un endroit tout à fait ordinaire, sans aucun goût particulier. Le gars n'était ni riche ni pauvre, rien qu'un produit de la classe moyenne. Dans le salon, elle aperçut une icône accrochée sur le mur opposé à l'entrée. Elle s'approcha de l'objet; c'était un petit moulage de plâtre de la Vierge Marie peint de couleurs criardes, les lèvres d'un vermillon éclatant et les yeux beaucoup trop bleus pour être vrais. Les Mexicains fabriquaient ce genre de reproduction par milliers.

Dans son dos, l'homme eut un rire embarrassé.

– Ce n'est pas à moi.

– Non?

– Ce n'est même pas mon appartement. Je l'ai emprunté à un ami parti dans le Maine. Je ne suis ici que pour un jour ou deux.

C'est bon, garde tes explications, elles ne m'intéressent pas du tout, pensa-t-elle tandis que ses lèvres esquissaient un sourire amical. Elle devina la nervosité de l'homme, sa tension, le besoin qu'il avait de parler pour ne rien dire.

– Tu n'as jamais utilisé nos services, avant? demanda-t-elle.

– Non... pas exactement, dit-il en mettant ses mains dans les poches de son pantalon.

– Ils t'ont dit ce que j'accepte et ce que je refuse?

– Oui, fit-il en hochant le menton. Je n'ai pas de... enfin, ce qu'on pourrait appeler des besoins exotiques.

– Où est la chambre à coucher?

– Hum... cette porte-là.

Elle s'y rendit sur-le-champ. Des rideaux de coton rouge filtraient la lumière du soleil couchant; tout respirait l'ordre et l'entretien, le couvre-lit s'harmonisait avec les rideaux, et ceux-ci avec la moquette. Une chambre à coucher entièrement rouge sang qui lui rappelait un cauchemar ancien.

– Hé, tu viens? lui lança-t-elle.

Il entra en traînant les pieds, mal à l'aise. Elle s'assit sur le bord du lit et lui sourit, toujours aussi mécaniquement. Il semblait aussi méfiant qu'un petit animal qui venait juste d'échapper aux crocs d'un prédateur. On dit que les doux héritent d'un certain trait de caractère, pensa-t-elle. Mais quoi? Elle n'arrivait pas à s'en souvenir. Alors elle lui envoya un sourire éblouissant, le grand jeu cette fois, le « viens-y donc ».

– Allons, viens t'asseoir ici. A côté de moi. Elle tapota le couvre-lit.

Il s'approcha lentement comme s'il craignait un mauvais coup.

– Ils t'ont dit que j'en avais fini avec la lèpre?

Il la fixa un instant sans comprendre. Elle l'entendait presque cogiter. Alors un sourire détendit ses lèvres pour la première fois.

– Guérie. Complètement guérie.

– Oui, dit-il en la regardant défaire les boutons de son corsage. (Puis, mis en confiance :) Laisse-moi m'occuper de ça, tu veux bien?

– Fais comme chez toi.

Il eut beau s'escrimer sur les boutons, ses doigts ne cessaient de trembler. Elle dut l'aider à défaire le corsage, puis la boucle de sa ceinture. Avec un peu de chance, songea-t-elle, tout cela devrait rapidement se terminer par une éjaculation précoce et je pourrai m'en aller avant la fin de l'heure obligatoire... Elle s'allongea en travers du lit, vêtue de ses seuls dessous, tandis qu'il s'activait nerveusement autour de ses jambes. A une certaine époque, c'était le plus dur moment de la passe, celui où elle se contraignait désespérément à ravaler toutes ses peurs, peur d'avoir affaire à un malade mental, peur d'être étranglée avec un bas de soie, peur de recevoir un coup de couteau entre les côtes; une époque où, offerte sans défense sur un lit anonyme, le ventre noué par la terreur, vulnérable, elle ne souhaitait rien d'autre que fermer les yeux et se laisser aller, imaginer qu'elle se trouvait seule dans la pièce et qu'il n'y avait personne susceptible de la menacer. Pour refouler ses craintes et effacer la réalité, elle songeait alors à quelque ancien amant, à quelque être familier et ennuyeux et merveilleusement *inoffensif*. Melvin Pike, par exemple. Ce cher vieux Melvin qui avait cueilli cette fleur précieuse nommée virginité une certaine nuit à Chicago, par un froid mordant, sur le terrain de football du collège. Le maladroit Melvin, pas plus capable de faire des avances que de les abréger pour passer à des choses plus sérieuses. Brusquement, elle se souvint avec écœurement de l'odeur pestilentielle de la crème qu'il utilisait pour guérir son acné, de la hâte grotesque avec laquelle il s'était trémoussé entre ses cuisses et avait joui, le souffle court, haletant comme un chiot. Cher vieux Melvin. Il s'était fait depuis une place au soleil – avocat à bedaine, pas moins! – et avait épousé Anita Semler. Ils possédaient une maison à Des Moines, avaient deux enfants, un berger anglais et une perruche. Nostalgie...

Elle regarda l'homme qui, le dos tourné et penché en avant, ôtait avec gêne son pantalon. Ses jambes étaient minces et blanches, mais la lumière rouge qui régnait dans la pièce les colorait légèrement et donnait l'impression qu'elles étaient couvertes de plaques rosâtres.

Dépêche-toi, pensa-t-elle. Il lui fit face, toujours curieusement courbé en deux. La honte certainement. Il cachait de ses mains son membre dressé. Elle eut envie de lui rire au nez. *Ecoute, j'ai déjà vu cela bien des fois.* Il s'assit au bord du lit, fit glisser l'attache du soutien-gorge et, en gémissant faiblement, s'inclina pour embrasser sa gorge. Un plaintif, se dit-elle. Elle sentit sur sa poitrine les doigts qui tiraillaient le soutien-gorge. Elle se demanda combien de temps il lui restait à se prostituer ainsi sur les deux ans qu'elle s'était accordés. Quatorze mois? Treize?

Elle enlaça ses épaules et l'attira vers elle.

Le volet suivant fut celui de la mystification à grand spectacle. Comment oublier le consommateur tout en lui donnant l'agréable illusion de participer au jeu activement soi-même. Jonglerie. Elle remua ses hanches en cadence, langoureusement; son partenaire, l'expression sérieuse, les traits figés, ahanait avec application. Elle se sentit presque désolée pour lui, un peu comme l'eût été une infirmière envers un patient à l'agonie.

Pense à des titres, pense à des valeurs boursières, se dit-elle. Pense à ton compte en banque et à Wall Street et à Max noyé dans ses paperasses. Tu n'as pas de temps à perdre à t'affliger sur cet homme.

Elle l'entendit grogner.

Qu'il est dur parfois d'être une matérialiste convaincue.

Le temps, le maudit temps, comment a-t-il fait pour s'envoler si rapidement? Elle tendit la main vers la montre posée sur la table de chevet; celle-ci glissa malencontreusement de ses doigts et tomba par terre, entraînant dans sa chute l'alliance qu'elle avait ôtée. Elle se mit à quatre pattes pour les récupérer, mais l'alliance, ce petit anneau d'or que Mike lui avait offert avec tant de grotesque solennité, avait disparu quelque part sous le lit. Elle chercha à tâtons, sentit sous ses doigts des chaussettes roulées en boule, une sandale, un vêtement, mais d'alliance point. Elle regarda l'heure à sa montre dans la demi-obscurité de la chambre à coucher. 5 h 20. L'après-midi s'était envolé et le déjeuner avec lui. Mike doit être furieux, pensa-t-elle. Vite, trouve une excuse, il te faut absolument une excuse! (Mike, j'ai ramassé ce type, je ne connais même pas son nom. Je me baladais au musée et l'instant d'après je me suis retrouvée avec lui dans un taxi, puis au lit où nous avons passé l'après-midi, et je me suis bien amusée, Mike. Des heures comme tu es incapable de m'en offrir...) Paralysée par la panique et le désordre de ses pensées, elle ne put raisonner normalement, trouver une excuse valable. (Nous avons fait l'amour, Mike, comprends-tu? Tout a commencé dans le taxi, et ensuite il y eut cette histoire de gant perdu...) Elle arpenta la pièce de long en large en regardant furtivement la figure de l'homme endormi, ses cheveux noirs en boucles désordonnées sur l'oreiller blanc, sa poitrine velue. Elle voulut le réveiller, lui dire quelques mots, mais elle en fut incapable. Les ressorts en elle étaient cassés. Elle ne pouvait penser à rien d'autre qu'à rentrer chez elle au plus vite, à affronter Mike, à inventer une histoire. Son cerveau ne répondait plus aux sollicitations, les rouages étaient grippés. Elle alla dans la salle de bains, fit couler de l'eau froide et s'en aspergea le visage. Est-ce que Mike devinera? Est-ce qu'il saura dès qu'il me verra? Est-ce qu'un indice quelconque sur mon visage me trahira? Une lueur dans les yeux?

Elle alluma la lumière. Elle trouva une brosse sur l'étagère du lavabo et entreprit de mettre de l'ordre dans sa chevelure. Le résultat laissait à désirer, mais elle n'avait pas le temps de se faire une beauté, de fignoler. Elle frissonna, retourna dans la chambre à coucher et ramassa ses vêtements qui jonchaient le sol. Elle s'habilla en vitesse, luttant furieusement contre la panique. *Qu'ai-je fait? Pourquoi suis-je ici?* Un fugace sentiment de honte s'infiltra en elle – pas de regret, seulement de la honte –, et elle ne savait toujours pas quoi inventer pour prévenir la colère de Mike.

Pas de dessous.

Pas de slip, pas de soutien-gorge. Elle fit le tour du lit, se mit à genoux sur la moquette, songea à allumer la lumière... Non, pour une raison inconnue, elle ne voulait pas réveiller l'homme. Pas de lingerie. Soudain, elle se souvint. Le taxi.

Non.

C'était incroyable. Elle n'avait pas pu les laisser dans le taxi.

Elle passa les mains sur son front, essayant de se rappeler la scène. Elle vit la main de l'homme disparaître sous sa jupe gris pâle, sa jupe remonter lentement sur le haut de ses cuisses et ses jambes gainées de soie s'entrouvrir légèrement, elle se souvint du déchirement affreux qu'elle vivait, prise qu'elle était entre l'excitation progressive qui brûlait son corps et le regard envieux, concupiscent, du chauffeur de taxi dans le rétroviseur.

Le taxi. Elle avait dû les oublier à l'intérieur, sur la banquette.

Le dégoût la saisit. Le chauffeur. Il avait dû se repaître de toute la scène. Comment aurait-il pu faire autrement? Ne l'avait-elle pas provoquée? Et son compagnon, elle se rappela les caresses et les taquineries de ses doigts, ses éclats de rire; il avait eu l'air de comprendre sa féroce envie et de pouvoir la contrôler à sa guise, la satisfaire.

Malgré ses recherches fébriles, elle ne put mettre

la main sur sa lingerie. Elle ne se souvenait même plus de la couleur de son slip. Elle agrafa la montre à son poignet et regarda l'homme assoupi. Il s'agitait dans son sommeil, se tournait de côté comme s'il allait se réveiller d'un instant à l'autre, repousser les draps et l'inviter à réintégrer le lit. *Cela aussi je le ferais,* pensa-t-elle. *Je n'hésiterais pas une seconde.* Non, s'insurgea-t-elle aussitôt, tu ne peux pas demeurer ici. Tu dois partir. Tu aimerais le réveiller et lui dire combien c'était bon et merveilleux, mais tu n'as pas de temps à perdre en remerciements.

Elle passa dans le salon. Là aussi régnait la pénombre. Elle alluma une lampe, la lumière jeta mille reflets sur l'acier chromé du mobilier ultra-moderne. Un détail, pensa-t-elle brusquement; il y a un détail que j'ai oublié. Elle ne put mettre un nom dessus; de nouveau le vide se fit dans sa tête, son esprit se liquéfia. Elle contempla d'un œil amorphe la table à café, le bureau installé contre le mur près de la porte d'entrée. J'ignore jusqu'à son nom, pensa-t-elle. Sur le bureau, elle remarqua deux enveloppes à fenêtre contenant des factures. Warren Lockman. Pour une raison inconnue, elle ne pouvait associer ce nom avec l'homme endormi dans l'autre pièce, ils lui semblaient former deux entités distinctes. Elle regretta aussitôt d'avoir découvert son identité, elle aurait souhaité ne pas la connaître et garder seulement par-devers elle le souvenir d'un après-midi de rêve, un tendre secret...

Un morceau de papier enfoui sous les enveloppes attira son regard. Il s'agissait d'un formulaire administratif à en-tête du *Département de la Santé de la Ville de New York.* Au début, son cerveau fut incapable d'entrevoir une quelconque relation entre cet imprimé et elle; elle voulut seulement le froisser, le broyer, le brûler. *Warren Lockman.* (Je ne connais personne de ce nom. Je n'ai même jamais rencontré quelqu'un du nom de Warren Lockman. Juste un homme, l'amant d'un après-midi.) *Maladies vénériennes contagieuses.* Non, pas ça, implora-t-elle silencieusement. *Liste de tous...*

Le formulaire était plié, le reste de la phrase disparaissant dans la moitié cachée: *Liste de tous.* Elle ne voulut pas lire la suite. Comment figurerait-elle sur la liste d'un homme qu'elle n'avait même jamais rencontré, pour l'amour du ciel? Elle tourna le papier de l'autre côté. *Liste de tous.*

Ses yeux se brouillèrent; il y avait comme des giclées de liquide sur le papier, des taches d'encre noire maculaient les marges. *Relations sexuelles deux semaines précédant l'infection. Elles doivent être notifiées et examinées pour déceler une éventuelle blennorragie.* Elle laissa le papier glisser d'entre ses doigts et atterrir mollement sur la moquette tel un papillon fatigué. Une sorte de gelée pétrifiée emplissait son esprit, elle n'arrivait pas à aligner deux idées, à voir clair dans cette suite d'événements sans queue ni tête. Elle ne comprenait qu'une seule chose : il lui fallait retourner chez elle, fournir des explications à Mike, lui mentir; il lui fallait de toute urgence voir Peter, rentrer au bercail, retrouver une protection au sein de la famille... parce que là uniquement elle se sentirait en sécurité.

Elle sortit dans le couloir et tira doucement la porte derrière elle. *Liste de tous.* Mais elle n'avait pas lu la suite, n'est-ce pas? Alors cela n'existait pas, cela ne la concernait pas. Elle pressa le bouton d'appel de l'ascenseur. *Liste de tous liste de tous...* Ces mots tournoyaient dans son crâne au point de n'être plus qu'une bouillie inintelligible, informe. Elle entendit le bourdonnement assourdi de l'ascenseur dans la cage. Elle y pénétrerait, elle rentrerait à la maison, tout se passerait pour le mieux. Les deux battants glissèrent dans leur rainure. Elle entra et appuya sur le bouton du rez-de-chaussée. Elle ferma alors les yeux en poussant un énorme soupir de soulagement. Tout ira bien si tu ne penses pas. A condition que tu ne penses pas. Et elle joignit les mains en une prière silencieuse.

Il n'y avait plus d'alliance.

Oh mon Dieu! La bague de Mike. Elle avait dû l'oublier sur la table de chevet après l'avoir ramassée sous le lit. Où avait-elle la tête? Comment avait-elle pu en arriver là?

Il lui faudrait remonter. Il lui faudrait d'abord stopper l'ascenseur, puis le faire repartir en sens inverse, mais le numéro de l'étage lui échappait. Neuvième? Dixième? Telle une mouche prisonnière d'un bocal, elle alla d'une paroi à l'autre. Neuf, dix, lequel choisir si tous ces maudits étages se ressemblaient comme deux gouttes d'eau? Elle eut envie de s'effondrer en larmes, d'abandonner la partie. Non, il fallait réagir. Elle appuya au hasard sur un bouton mais l'ascenseur continua obstinément sa descente et elle songea sottement que plus il descendait profondément, plus sa vitesse s'accélérait. Tu divagues, Kate. Tu trouves l'appartement. Tu sonnes. Tu récupères ton alliance. Une simple série d'actions. A,B,C. Rien de plus facile.

Pourquoi l'ascenseur ne répond-il pas à ses ordres? Quelqu'un situé à un autre étage aura tout simplement appuyé sur le bouton « appel ». Juste? L'ascenseur ne répondra donc pas à ton ordre avant d'avoir obéi à l'appel précédent. Juste?

Juste, Kate. Alors prends ton mal en patience. Tu finiras par récupérer ta bague. Elle contempla les numéros d'étages qui s'allumaient puis s'éteignaient à tour de rôle. Les parois foncées de l'habitacle pesaient sur elle d'un poids terrible. Sa vieille claustrophobie. Elle passa une main sur son front moite. L'ascenseur ronfla, puis stoppa. Du coin de l'œil, elle vit le clignotant se stabiliser au 5. Une vieille femme, les épaules couvertes d'une antique peau de renard dont la gueule aplatie pendait lamentablement, avança vers elle. Les deux battants se refermèrent en chuintant. Kate s'appuya contre une paroi; une désagréable odeur de camphre chatouilla ses narines. Au rez-de-chaussée, la vieille femme sortit en soupirant, son dentier claqua lugubrement. Kate pressa le bouton 10. Vite, dépêche-toi, je t'en supplie. L'anneau. Souviens-toi, c'est tout ce que tu veux. Ne pense à rien d'autre.

Les étages défilèrent paisiblement. 8,9,10. C'est le bon étage, se dit-elle, il faut que ce soit le bon. L'ascenseur vrombit avant de s'arrêter. Les portes coulissèrent.

Elle ne comprit pas. Elle pensa : *Tout ceci est une terrible erreur, tout ceci n'a aucun sens, vous devez vous être trompée de personne, mon nom est Kate, Kate Myers, je vous en prie...* Puis elle eut conscience d'un déplacement de métal dans l'air, d'un bruissement soyeux, de son image reflétée dans les lunettes noires, de la main qu'elle leva instinctivement pour parer le coup – mais cela avait dû se passer plus tard, trop tard, car elle ressentit une douleur aiguë à son poignet et vit avec effarement du sang gicler de sa peau. Puis le métal se dressa de nouveau au-dessus d'elle, les battants se refermèrent, l'ascenseur bougea, la femme blonde hacha l'air avec le bras et la lame de métal lança des éclairs sous la lueur du plafonnier...

C'était un rêve, un rêve nauséeux qu'on drague à l'intérieur de soi dans un endroit abyssal, dans le théâtre de l'absurde qui gît au fond de soi, plein de créatures et de remugles menaçants.

Mais pourquoi la douleur était-elle si foutrement réelle?

Pourquoi s'entendit-elle hurler si fort?

Je cherchais ma bague, c'était tout. L'alliance. Et je ne pouvais pas la dénicher.

Du sang coula dans ses yeux. Elle leva une main pour protéger son visage. Le rasoir s'abattit encore, tailla da ses doigts jusqu'aux phalanges. Aveuglée, elle sentit qu'elle glissait inexorablement par terre, le corps transpercé d'une souffrance démentielle. Elle couvrit sa figure de ses bras, mais la douleur s'était déplacée. Elle croisa les jambes. Une flaque de sang imprégnait sa jupe, coulait d'entre ses cuisses. Malgré les coups de rasoir qui se succédaient, elle voulut se remettre debout, mais ses forces l'abandonnaient, elle glissait, glissait. Du sang ruissela sur ses lèvres, pénétra dans sa bouche. Elle essaya de se réveiller, de s'extraire du cauchemar... en vain. Celui-ci déroulait ses arabesques folles en une série ininterrompue d'images et de sensations effroyables. Elle crut entendre le mot incongru « Elliott ». Soudain, une distance énorme et terrifiante la sépara du monde. Une marée gigantesque l'entraîna avec elle dans son reflux vers un monde obscur, vers un ciel d'encre noire où régnait un soleil couleur d'ardoise. Et toujours et encore, mais se dissolvant dans le lointain, les coupures du rasoir.

Elle pensa absurdement : *Je meurs.*

Ce ne pouvait être vrai.

Ce ne pouvait absolument pas être vrai.

Même lorsque la lumière s'évanouit et que les coups de rasoir ne furent plus qu'un bruissement presque inaudible dans l'air, elle resta persuadée que ce ne pouvait être vrai.

Liz vit Ted lever la main en un timide salut d'adieu puis refermer doucement la porte et elle se retrouva seule dans le couloir désert qu'éclairaient de place en place les plafonniers. Il a été correct, se dit-elle en marchant vers l'ascenseur – ce qu'on pourrait appeler un bon petit gars inefficace, parfaitement dressé et bichonné par son épouse, et misérablement traité par son patron. Rien qu'à sa façon de faire l'amour on pouvait reconstituer l'histoire de sa vie : une timidité ombrageuse, un certain dégoût, et de la douceur. Il s'est probablement arrangé pour rester à New York tandis que sa femme regagnait Syracuse ou Quincey en croyant stupidement qu'il poursuivait un voyage d'affaires. Tout bien considéré, ce n'est peut-être pas l'amour, ou l'affection, qui crée des liens entre deux personnes, mais plutôt un subterfuge émotif, une fourberie du cœur, une accumulation de petites tromperies. Tout cela était bien déprimant.

Elle s'arrêta devant l'ascenseur et appuya sur le bouton d'appel. Elle regarda autour d'elle d'un air blasé. Les appliques murales s'échelonnaient régulièrement, déversant dans le long corridor vide une lumière parcimonieuse. A certaines heures du jour ou de la nuit, ces immeubles semblaient parfois hantés, comme si tous les locataires avaient déserté la place pour rejoindre un mystérieux sabbat. Si on pénétrait dans chaque appartement donnant sur ce palier, on trouverait certainement la même épaisseur de poussière sur les meubles. Appartements modernes, cages de néant et de solitude. Elle écouta le ronronnement de plus en plus fort de l'ascenseur dans le boyau.

La fatigue pesait de nouveau sur ses membres. Elle aurait dû se reposer aujourd'hui – mais une petite voix intérieure la houspillait, protestait avec véhémence contre la fuite du temps, et ce cri se faisait de jour en jour plus pressant, plus urgent. Deux ans. Plus tard, regarderait-elle en arrière en se disant que cet intervalle n'avait pas été vécu en vain? La décision de s'adonner à la prostitution avait été prise froidement et délibérément: elle avait compris très tôt qu'il n'y avait aucun cadeau à attendre du monde, qu'il était dur d'y vivre sans argent et que la marchandise la plus vendable qu'elle possédait était encore son propre corps. Elle bâilla à se décrocher la mâchoire, s'appuya avec lassitude contre le mur. L'oreille ainsi collée à la paroi, elle entendit l'ascenseur monter vers elle.

Une lumière clignota sur le panneau. L'ascenseur se stabilisa. Les battants métalliques coulissèrent.

Plus tard, elle essaierait de se rappeler ce qu'elle ressentit, ce qu'elle vit; et au fond de sa mémoire se mêleraient confusément effroi, panique, terreur, et l'étrange écho étranglé de son propre hurlement.

3

Marino songeait parfois que la vie n'était rien d'autre qu'une somme de malheurs, que souffrir sans espoir de remède formait la plus grosse part de ce gâteau appelé condition humaine. La seule réaction convenable consistait alors, peut-être, à s'immuniser contre cette douleur en revêtant une armure d'indifférence, à la façon des plus vieux policiers de sa division blanchis sous le harnais toute une vie durant et qui poursuivaient leur route tenacement, refusant d'être écœurés par quoi que ce soit, cachant leur épuisement et leur dégoût sous un épais vernis de cynisme. Ce n'était pas le genre de Marino, bien qu'il eût essayé à maintes reprises de se durcir artificiellement; non, il n'avait tout simplement pas le courage – ou la faiblesse – d'endosser une tenue de cynique comme l'on arbore un badge en récompense de plusieurs années de bons et loyaux services. Il avait d'autres cordes à son arc; il puisait dans son sac à malice l'unique potion magique qu'il possédât : sa famille. Il allait de temps à autre avec sa femme dans un restaurant de Mulberry Street, il emmenait ses enfants à un match de base-ball, et cela suffisait à rayer d'un trait de plume une semaine de labeur acharné. Démobilisation provisoire des soucis quotidiens. Mary lui reprochait à longueur d'année de se laisser envahir par son travail. *Tu prends tes responsabilités trop à cœur, Joseph* (toujours Joseph, jamais Joe). *C'est un métier comme un autre, après tout!*

Affalé sur son fauteuil, il se demanda pourquoi il ne pouvait changer d'attitude, pourquoi il se sentait toujours personnellement atteint par les fréquentes horreurs que la ville vomissait de ses sombres entrailles. Tu faisais front, bien sûr, parce que tu y étais obligé, mais tu subissais les contrecoups intérieurs de cette vie de chien, un véritable effondrement psychologique. La vue d'un cadavre, n'importe quel cadavre, qu'il fût celui d'un jeune garçon sauvagement poignardé ou d'un pochard tué pour une demi-bouteille de vin, lui soulevait l'estomac, lui arrachait un morceau de cœur. Je suis un tendre, voilà tout, se disait-il quelquefois pour tromper sa rancœur. Mais plus il le pensait, plus il essayait de dissimuler cette douceur naturelle, comme si mis devant la brutale réalité d'un meurtre, l'être humain ne pouvait que ressentir une terrible faiblesse. « Crois-tu que je peux modifier mes sentiments? » avait-il demandé un jour à sa femme. Elle n'avait pas répondu, ou il avait oublié sa réponse. Maintenant, assis derrière son bureau, il ferma les yeux et frotta ses paupières gonflées par la veille et la fatigue. Un soupir lui échappa. L'image atroce de la femme morte dans l'ascenseur revint le harceler. Je n'avais vraiment pas besoin de ce cadeau empoisonné, songea-t-il. Ils avaient essuyé plus de sang qu'il n'en coule dans un abattoir. L'un des types du département des autopsies avait compté pas moins de dix-huit blessures dues à la lame de rasoir. Une telle fureur vengeresse le dépassait. Deux doigts de la main droite avaient été mutilés. Entre les cuisses, la chair avait été tranchée jusqu'à l'os pubien. Par trois fois le rasoir avait découpé la peau autour des yeux, laissant les orbites béantes et sanguinolentes. Si je devais tuer quelqu'un, se dit-il, ce serait d'une balle de revolver tirée dans un endroit obscur, proprement, rationnellement; tandis que là tu as affaire à une manière bien différente. La folie meurtrière, le délire très particulier de la démence. Qu'a-t-elle bien pu ressentir lorsque le premier coup de rasoir l'a atteinte? De l'ahurissement? De la peur? Quoi que ce fût, ça se résumerait finalement à de tristes constatations dans un rapport administratif : au cours de la lutte, la montre s'est détachée, et la victime était plus seule qu'elle ne l'avait jamais été auparavant...

Il ouvrit les yeux. La lumière crue du néon venue du plafond l'obligea à les refermer à demi. Clignant des paupières, il regarda la jeune femme sagement assise de l'autre côté du bureau. Mignonne. Et morte de peur. Il éprouva brusquement une fatigue insurmontable, comme un cancer qui lui rongeait la moelle des os. Sortant de sa rêverie, il maugréa :

– Reprenons encore au début.

– On le doit vraiment? dit-elle en le fixant tranquillement.

Marino hocha le menton. Il se renversa en arrière contre le dossier de son fauteuil et tripota sa moustache noire. Puis, trop harassé pour continuer ce jeu, il accrocha ses mains à sa ceinture en pensant : je dois absolument perdre un peu de cette graisse, sinon je vais finir par devenir un vrai pachyderme.

– Vous avez appuyé sur le bouton d'appel.

– Oui...

– Alors il est arrivé...

– Exact. L'ascenseur est arrivé, répéta-t-elle ironiquement.

Il scruta son visage. Il n'arrivait pas à établir un lien entre cette jolie figure innocente et les détails édifiants consignés dans le rapport qu'il avait sous les yeux. Une vraie sainte nitouche, cette demoiselle. Les apparences, décidément, il ne faut pas s'y fier.

Elle frottait nerveusement les paumes de ses mains l'une contre l'autre.

– L'ascenseur est arrivé, reprit-elle. Je ne me souviens plus exactement du déroulement des événements.

– Essayez.

– C'est ce que je fais. (Elle lui sourit courageusement, mais dans le fond de ses prunelles il y avait du désespoir et de la terreur.) Il ne vous tombe pas sur les bras une affaire pareille tous les jours, n'est-ce pas, lieutenant?

Ignorant la question, il se pencha vers elle.

– La porte s'est ouverte.

– Oui, la porte s'est ouverte. C'était horrible, ça n'avait pas de nom! (De nouveau, elle contempla les paumes de ses mains. De longs doigts bien modelés, pensa Marino en les regardant.)

– Je sais que c'était horrible, dit-il. J'ai vu la scène, vous vous en souvenez?

Puis, comme épuisé d'avoir trop parlé, il retomba dans un silence morose, ses pensées errant sans suite, décousues. Il écouta d'une oreille distraite le brouhaha général, les sonneries des téléphones dans les bureaux voisins; une silhouette s'inscrivit fugitivement dans le carreau de la porte. Il songea inopinément au mari que le sergent Levinski avait escorté jusqu'à la morgue pour l'identification du cadavre. Il imagina la douleur lisible sur le visage du pauvre homme, l'accablement mêlé du fol espoir que tout ceci était une erreur macabre, que le cadavre gisant dans la chambre froide pouvait ne pas être celui de sa femme, mais celui d'une inconnue. Pauvre minable. Et le gosse qui attendait à l'instant même dans le couloir le retour de son père. Une famille complètement anéantie, bon Dieu! La colère grondait dans la poitrine de Marino, diffuse, latente, menaçant d'exploser à tout instant. La famille, c'est là où on commence à identifier les choses, à balbutier... Ç'aurait pu être ma femme... Il se força à repousser ces lugubres méditations.

– Bon, les battants ont coulissé et vous avez vu une femme baignant dans une mare de sang. Ensuite?

– J'ai avancé vers l'ascenseur...

– Pourquoi?

– Pourquoi? Mon Dieu, je ne sais pas pourquoi... (Elle gémissait, elle a levé une main en l'air très lentement, comme si elle implorait de l'aide.) J'ai réagi instinctivement. J'ai dû crier aussi, mais je n'en suis pas sûre.

– Que s'est-il passé alors?

– J'ai aperçu cette autre femme, une blonde avec des lunettes noires; elle tenait le rasoir à la main. Je crois bien qu'en me voyant elle a appuyé sur le bouton de l'ascenseur parce que les battants ont commencé à se refermer. Ecoutez, je vous répète que je ne me souviens plus exactement des faits, bon sang!

Marino se renfonça tranquillement dans son siège.

– Alors la femme a essayé de m'atteindre avec le rasoir, continua Liz.

– Pendant que les battants se refermaient?

– Je suppose. N'importe comment, j'ai évité le coup puisque le rasoir est tombé par terre et que je l'ai ramassé...

– C'est ce que j'aimerais comprendre. Pourquoi l'avez-vous ramassé?

L'air accablé, elle secoua la tête désespérément et piocha une cigarette dans son sac. Marino poussa vers elle une boîte d'allumettes.

– J'ai peut-être pensé que je devais me défendre. Un tas de choses vous passent par la tête dans ces moments-là, vous savez! J'ai peut-être pensé que je pouvais aider la femme agonisante, je ne sais pas...

– Donc, vous prenez le rasoir. La porte de l'ascenseur se referme et la cabine descend.
– Oui.
– Ensuite, toujours avec le rasoir en main, vous vous précipitez dans les escaliers, jusqu'à l'entrée de l'immeuble.
– Mais elle était partie lorsque je suis arrivée en bas. Il n'y avait que la morte dans l'ascenseur, la blonde avait disparu, j'ai dû crier quelque chose... oh merde, je ne peux pas me souvenir exactement!
– Alors comme ça, vous vous trouvez devant l'entrée de l'immeuble avec l'arme du crime dans la main, et aucun signe de la prétendue meurtrière.
– *Prétendue?* Qu'est-ce que vous voulez insinuer?
Marino posa ses coudes sur le bureau. Dans le mouvement, sa veste craqua aux entournures. Il sourit à la fille d'un air lourd de sous-entendus.
– Vous étiez la seule personne à avoir aperçu cette grande femme blonde avec des lunettes noires, juste?
– Hé, attendez...!
– Personne d'autre ne l'a vue.
– Je n'aime pas du tout la tournure que prend cette conversation, lieutenant.
– Il y a sur le rasoir un tracé excellent de vos empreintes.
– Evidemment, lança-t-elle agressivement. Puisque j'ai ramassé ce satané rasoir!
Marino planta ses yeux sur elle un instant comme pour mieux préparer son effet.
– Voulez-vous que je vous dise comment je sais que ces empreintes sont les vôtres, mademoiselle Blake? Puis-je vous appeler Liz si vous n'y voyez pas d'inconvénient?

Elle prit les allumettes, alluma sa cigarette et lui souffla la fumée au visage. Il se mit debout, le rapport ouvert dans les mains.

– Arrêtée le 4 janvier 1979 sur Park Avenue pour prostitution.

– D'accord, dit-elle en levant les bras. C'est entendu. Vous avez mes empreintes au fichier...

– Le 19 mars de la même année, flagrant délit de prostitution...

– C'était un coup monté! Un type de la brigade des mœurs utilisait les faveurs d'une certaine accompagnatrice comme couverture, et le piège n'a pas marché.

Marino ferma le dossier et s'appuya contre la paroi.

– Un, vos empreintes sur l'arme du crime. Deux, le sang de la morte sur vos vêtements. Trois, une éraflure très nette sur votre main des ongles de la morte. Qu'en dites-vous?

– Mais bon Dieu, pourquoi aurais-je voulu la tuer? Je ne la connaissais même pas! Vous ne pouvez pas me mettre ça sur le dos sans vérifier mon témoignage. Pas question, dit-elle en écrasant sa cigarette avec le talon d'un coup rageur. (Marino regarda les étincelles briller fugitivement puis s'éteindre une à une.)

– Vous êtes une racoleuse, Liz. Une jolie racoleuse de luxe, mais une racoleuse quand même. Et tout vous accuse, vrai ou pas vrai?

Elle l'observa en silence tandis que ses doigts jouaient nerveusement avec le fermoir de son sac. Il lut dans ses yeux la peur qui prenait lentement possession d'elle.

– Je ne connaissais même pas cette femme, je vous dis. Je ne l'ai pas tuée. C'était une pure coïncidence – un pur accident, appelez ça comme vous voudrez – si je me suis trouvée là à ce moment.

– Vous faisiez une passe dans l'immeuble, exact?

– Je rendais visite à un ami...

– Quel ami?

– Ted. Je ne me rappelle plus son nom. Il n'est pas d'ici. L'appartement lui était prêté.

– Un ami... Un ami très proche à ce que je vois.

Elle baissa les yeux une seconde puis lui rendit son regard, les traits durcis par la colère et la peur.

– Pourquoi diable me faites-vous passer un si mauvais quart d'heure? Je n'ai vraiment pas besoin de ces problèmes. Pourquoi essayez-vous de m'enfoncer dans cette poisse?

Marino s'assit et glissa le dossier au fond d'un tiroir. Il était presque désolé de la mouiller ainsi jusqu'au cou. Un moment de faiblesse, certainement, pensa-t-il. Essaie une autre voie, cherche dans une autre direction.

– Peut-être pourriez-vous me faire une description générale de cette... prétendue blonde?

L'expression de Liz resta froide, tendue. C'est un véritable péché qu'une frimousse comme celle-là paraisse si glaciale, se dit Marino. Un tel visage devrait appartenir à l'épouse d'un avocat ambitieux soucieux de sa carrière, à une femme offrant des soirées, des cocktails, secondant son mari par sa beauté rayonnante et chaleureuse, s'assurant que les Martinis sont bien dosés, les mets délicieux. Au lieu de quoi, elle n'était qu'une putain.

– La prétendue blonde mesurait 1m 75. Assez grande en tout cas. Je ne peux pas être plus précise.

– Quels vêtements portait-elle?
– Je n'ai pas eu le temps de les remarquer. Je me souviens seulement de son visage, et encore, pas vraiment à cause de ses lunettes.
– Ah oui, les lunettes...
Elle se pencha par-dessus le bureau, le visage crispé.
– Ecoutez, si vous pensez que j'ai fait le coup, pourquoi ne m'arrêtez-vous pas?
– C'est une tentation, admit-il.
– J'ai la sale impression que vous ne croyez pas un mot de ce que je raconte.
Il ne s'agit pas de croire ou de ne pas croire, songea Marino en contemplant d'un œil vide la surface du bureau. C'est une procédure d'élimination de longue haleine qui consiste à rayer progressivement des noms, à effacer des mobiles, à éliminer des soupçons, en espérant que le puzzle finirait par se dessiner, net et clair. Tout en cogitant, il tiraillait machinalement sa moustache. *Cette bande de poils noirs sous le nez ne t'arrange vraiment pas, Joseph!* Il sourit.
– Je voudrais que vous regardiez quelques trognes d'assassins.
– Est-ce que vous commencez à me croire?
Il haussa les épaules et prit le téléphone. Il jeta quelques mots dans l'appareil. Moins de cinq minutes plus tard, un policier en uniforme entrait dans la pièce.
– Niven, emmenez Mlle Blake et montrez-lui quelques clichés.
Le policier se tourna vers Liz. Elle se leva et le suivit. Quand elle atteignit le seuil, Marino lança :
– Encore une chose, Liz. Ne quittez pas la ville. Je vous tiendrai à l'œil.

Une fois seul, il prit un feuillet qui traînait sur son bureau et le consulta. La page était couverte de notes manuscrites griffonnées au stylo à bille. L'itinéraire d'une morte. Un voyage vers l'oubli. Une balade vers nulle part. Le mari avait dit qu'elle avait rendez-vous avec son psychanalyste, un certain Dr Elliott. Il n'en était pas très sûr, d'ailleurs, mais pouvait-on lui reprocher ses incertitudes en un pareil moment? Après cela, elle s'était rendue au *Museum of Modern Art* où ce type, Lockman, l'avait draguée. Elle avait accepté sans trop se poser de questions, probablement pour mettre un peu de sel dans son ordinaire. (Question : Faisait-elle cela souvent ou bien était-ce dû au hasard, à un soudain coup de tête?) Il avait déjà cuisiné Lockman sur les lieux du crime – le gars ne connaissait même pas le nom de la victime. Et il avait couché avec elle tout l'après-midi! De toute façon, en entendant l'agitation au bas de l'immeuble, il était sorti de chez lui et s'était de lui-même présenté aux policiers pour leur raconter sa petite histoire. De plus, l'instinct de Marino lui affirmait que ce gars-là était blanc comme neige, si l'on peut dire. Il ratura le nom de Lockman, repoussa le papier et se leva. Debout sur le seuil de la pièce, il contempla d'un œil morne la rangée de bureaux de la salle principale, la grisaille ambiante, les avis de recherche poussiéreux épinglés aux murs, et cet examen acheva de le déprimer.

Sur un banc collé au mur, il aperçut le fils de Kate Myers. Une boule lui noua la gorge. Cet enfant immobile le rendait malade. Il voulut aller vers lui et lui dire quelques mots, mais qu'aurait-il pu inventer pour le détourner de sa détresse? Il avait l'air abandonné, prostré, le regard vide, et Dieu sait quelle douleur l'accablait. Ne perds pas ton temps à verser des larmes sur lui, à le prendre en pitié, se dit-il. Qui te le demande?

Il revint vers son bureau, s'empara du téléphone.

– Envoyez-moi Betty Luce. Oui, tout de suite! Il se rassit, le regard dans le vague. Une silhouette de femme blonde avec des lunettes de soleil noires trotta dans son esprit, puis il songea au psychanalyste de Kate Myers, aux divers renseignements qu'il avait glanés ici et là, et ces pensées éparses se mirent à tournoyer follement.

Il ferma les yeux, essaya de s'abstraire du bruit de fond qui régnait autour de lui, mais la vision de la femme massacrée dans l'ascenseur, lacérée au point d'être méconnaissable, se balança devant ses paupières closes.

Liz tournait une à une les pages plastifiées du gros dossier de photographies. Sa main ne cessait de trembler. Non pas à cause des physionomies quelconques des femmes qui défilaient sous ses yeux, ni du souvenir de la porte de l'ascenseur coulissant dans la rainure, de son cri de terreur dans le corridor désert, de son reflet dans les lunettes noires, de l'arc de cercle que dessina le rasoir dans l'air en fondant sur elle, ni même à cause de l'étreinte de la mourante et de ses ongles griffant le dos de sa main...

C'était à cause de Marino. Du soupçon qu'il nourrissait à son égard. Comment pouvait-il penser qu'elle était la meurtrière? Elle tourna la page suivante. C'est à peine si elle faisait attention aux clichés. Ils finissaient par se ressembler tous : des visages sinistres, dépourvus d'expression, par dizaines, par centaines, comme les victimes anonymes d'une guerre ancienne. *Comment peut-il croire que j'aie fait une chose pareille?* Le salaud!... Elle alluma une cigarette. Les volutes de fumée tournoyèrent puis s'élevèrent lourdement vers la lumière fluorescente du néon au plafond. Elle pensa : Une ou deux minutes plus tôt, une ou deux minutes plus tard, et je n'aurais rien vu, je ne serais pas ici à me morfondre. Elle passa la main sur sa tempe; elle ressentait une douleur ténue qui bientôt enflammerait tous ses nerfs. Peut-être me fait-il seulement marcher... par plaisir, par déformation professionnelle. Mais elle n'était sûre de rien.

L'ascenseur rouge sang.

Les ongles de la mourante sur sa main.

Ces lunettes noires.

Malgré la chaleur poisseuse qui régnait dans la pièce mal ventilée, un frisson glacé la parcourut. Elle se rappela sa course précipitée dans les escaliers, les paroles incohérentes qu'elle avait criées une fois arrivée en bas... Pourquoi avait-elle couru ainsi? Par réflexe? Par héroïsme instinctif? Pour rattraper la meurtrière à sa sortie de l'ascenseur? Ensuite des portes s'étaient ouvertes précautionneusement; des locataires se hasardèrent dans la rue, un manutentionnaire portoricain se mit à crier en espagnol, une femme âgée s'évanouit... La confusion la plus totale régna autour de cette pauvre femme baignant dans son sang, le visage hideusement tailladé.

Elle tourna une autre page. D'autres physionomies la fixèrent lugubrement – tantôt avec morgue, tantôt avec peur –, des faces vides qui ne lui disaient absolument rien. Elle contempla sa main qui tremblait.

De l'autre côté de la fenêtre aux vitres sales, l'obscurité s'appesantissait sur la ville.

C'est alors que l'idée la frappa comme un éclair.

Elle fut saisie d'effroi.

J'ai vu la meurtrière!

Personne d'autre n'était témoin.

Elle se sentit prise de vertige, la poitrine écrasée par un poids énorme.

J'ai vu la meurtrière.

Je la reconnaîtrais entre mille.

Non, tu ne le pourrais pas. Tu l'as à peine entr'aperçue. Ça n'a pas duré une seconde, le temps d'un éclair.

Mais la meurtrière n'était pas censée le savoir.

La meurtrière ne le savait pas.

Soudain, la peur planta ses griffes en elle. Elle regarda craintivement vers les fenêtres, vers l'hostile obscurité du dehors; au-dessus de sa tête, le néon bourdonnait tranquillement, scandant, imperturbable, la vie du commissariat, ses bruits, ses allées et venues, ses sonneries de téléphone.

Elle exhala un soupir et tenta de se raisonner. En admettant qu'elle craigne que je ne la reconnaisse, comment ferait-elle pour me retrouver? C'est une ville immense où l'on se perd plus facilement que dans une botte de foin. Même si elle essayait, elle ne pourrait me mettre la main dessus. Ces réflexions la soulagèrent un peu, mais elle savait que la peur n'avait pas dit son dernier mot : ce n'était que partie remise.

Elliott s'empara du téléphone et forma le numéro de son domicile. Il imagina la sonnerie résonnant à travers la vaste chambre à coucher de la maison de

White Plains, sa femme – hébétée par les somnifères – tendant la main pour saisir l'appareil. Il attendit, les yeux baissés sur sa table de travail. La lampe tamisée éclairait une pile de dossiers rangés avec ordre et du papier à lettres encore vierge. Il joua avec le coupe-papier durant quelques secondes, puis s'aperçut qu'il regardait fixement le répondeur téléphonique. Un peu auparavant, il avait dû écouter plusieurs fois les messages enregistrés, tant l'un d'entre eux l'avait stupéfié à la première audition. Il n'en avait pas cru ses oreilles, mais la voix était si assurée, si affirmative, qu'il écarta bon gré mal gré l'hypothèse d'une plaisanterie macabre. Kate Myers. Ce n'était pas possible!

Il abandonna le coupe-papier, appuya sur la touche « marche » du répondeur. Au même instant, l'écouteur lui transmit la voix pâteuse de sa femme. Il arrêta l'enregistreur.

– Hello! dit-elle à l'autre bout du fil.

– C'est moi.

– Oh... (Un silence suivit.) Quelle heure est-il?

– Il est bientôt 9 heures. Tu as dû te mettre au lit de bonne heure.

Comme elle gardait le silence, il l'imagina couchée de tout son long en travers du lit, les traits du visage gonflés par l'abus des cachets; il pouvait presque voir ses cheveux de jais en bataille sur les oreillers blancs, l'écouteur collé à son oreille et le fil du téléphone délicatement enroulé autour de ses doigts.

– J'étais fatiguée. Et toi, tu vas bien?

– Très bien, oui...

Il hésita, loucha du côté du répondeur, la voix hystérique de Bobbi résonnant encore à ses oreilles. *J'imagine que tu as trouvé l'objet que j'ai dérobé, n'est-ce pas?* Et l'autre message, celui du lieutenant. *Une de vos patientes, Kate Myers, a été assassinée en fin d'après-midi...* Les deux voix virevoltaient follement dans son crâne, chacune essayant de chasser l'autre et de provoquer le chaos dans son esprit. Par quelle magie diabolique pouvait-il exister une relation entre la pauvre Kate et Bobbi? se demanda-t-il, au comble du désarroi. Il contempla ses mains à la lumière de la lampe : de la sueur collait entre les doigts. *J'aimerais que vous passiez me voir au commissariat de la 3ème circonscription aussitôt que possible, docteur.*

Il entendit sa femme bâiller et il songea à sa laideur, à sa figure affreusement tordue quand elle ouvrait ainsi la bouche devant lui; on aurait dit, parfois, qu'un trou béant se creusait au milieu du visage et que tout le reste se fripait et disparaissait.

– Rentres-tu ce soir? demanda-t-elle.

Pourquoi ressentait-il au fond de lui cette vague crainte, cette peur indéfinissable? Il était impossible qu'il y eût un quelconque lien entre Bobbi et Kate. Elles ne se connaissaient pas. Elles ne s'étaient jamais rencontrées, du moins pour autant qu'il le sût. Donc pas de rapport, pas de relation, rien.

Le rasoir.

Il ferma les yeux.

– Quelque chose est arrivé, dit-il à Anne. Un drame affreux. L'une de mes patientes a été assassinée aujourd'hui...

– Non!

– Je n'ai encore aucun détail. Je l'ai vue pas plus tard que ce matin. Je dois aller ce soir à la police...

Soudain, il eut le sentiment qu'il parlait dans le vide, que déjà sa femme ne l'écoutait plus. C'était comme de déverser des mots dans un néant électronique, d'entendre sa propre voix aspirée par un réseau de membranes, cassée en syllabes puis disséquée et analysée jusque dans ses moindres structures. Anne poussa alors un soupir et l'illusion se désagrégea.

– Tu vas dormir à ton bureau ? (Il crut discerner dans sa voix une triste résignation.)

– Probablement.

– Je suis désolée au sujet de ta patiente. Vraiment.

– Je te crois... (Clignant des yeux, il parcourut le début d'une lettre étalée devant lui. *Cher professeur Samuelson, je serais très heureux de participer à votre colloque...*) Ecoute, dit-il dans le téléphone, j'essaierai de rentrer ce soir s'il n'est pas trop tard.

Elle bâilla de nouveau. Il songea à la grande maison de White Plains, aux pièces vides, au rangement méthodiaue de chaque objet – l'absence de vie qui régnait dans la résidence le frappa douloureusement. Peut-être fallait-il plutôt parler d'une absence d'amour. L'amour, pensa-t-il, est une denrée périssable qui devient à la longue aussi banale que le fait de se raser tous les matins. Cette carence – hypothétique – ne l'en irritait pas moins car elle réveillait d'étranges désirs ensevelis au fond de lui...

– Tu ne rentreras donc pas ce soir, n'est-ce pas ?

– Je ne peux pas te le promettre. Je ferai mon possible.

– Cela ne fait pas une grande différence, de toute façon.

Il ne répondit pas. Il l'entendit allumer une cigarette et une grimace lui échappa. Anne grillait cigarette sur cigarette, au point que l'odeur du tabac imprégnait ses cheveux, adhérait aux plis de ses vêtements et semblait même coller aux pores de sa peau. Il ne savait pas exactement pourquoi il éprouvait une telle répulsion envers le fait de fumer, et c'eût été une plaisanterie de mauvais goût que de chercher à approfondir la question : l'analyste s'analysant lui-même... Cependant, ce simple bruit d'un briquet qu'on allume lui fit comprendre aussitôt combien il désirait peu être aux côtés de sa femme ce soir ni sentir le contact de sa peau contre la sienne. L'amour s'affaiblit, s'érode et puis meurt, pensa-t-il. Il meurt et on rate le réveil d'un temps nouveau, on ne prend pas garde à l'odeur de fumée du crematorium. L'amour meurt sans sépulture comme un vulgaire clochard jeté dans une fosse commune.

– Bon, alors je te verrai quand je te verrai, lança Anne. (Et elle coupa la communication.)

Il regarda un instant l'écouteur, puis il secoua sa torpeur et remit l'appareil sur sa fourche. Il passa dans la salle de bains contiguë, alluma la lumière, scruta son visage dans la glace. Il se savonna les mains méthodiquement, les passa sous l'eau et les essuya. Son regard se posa sur l'armoire à pharmacie, juste à côté du lavabo. L'idée absurde lui vint que le rasoir pourrait s'y trouver. Mû par un espoir ridicule, il fouilla parmi les fioles et les boîtes de toutes sortes, mais ses recherches furent vaines.

Et Kate Myers était morte.

Il sentit son ventre se nouer, une chaleur nauséeuse remuer au creux de l'estomac. Il ouvrit le robinet d'eau froide et s'aspergea le visage. *Kate*

Myers est morte. Cela n'a aucun sens, aucune signification. Il marcha vers la fenêtre et entrouvrit légèrement les lames de la jalousie. La cité gigantesque se déployait sous ses yeux en un formidable feu d'artifice de lumières flottant dans la nuit; on eût dit qu'elle avait rompu ses amarres, que ses racines ne s'ancraient plus dans le sol et que ses superstructures de béton s'étaient dissoutes. Une ville folle, fantasmagorique. Il se surprit à songer à son foyer – non ce mausolée de White Plains, mais l'endroit qui demeurait à ses yeux son véritable foyer : l'Angleterre, les Downs du Sussex qui ondulent au-dessus de Brighton. Il revit les longues promenades à pied qu'Anne et lui faisaient durant les merveilleuses soirées d'été, l'autobus à impériale qu'ils prenaient pour monter vers les Downs, puis la lande sur laquelle ils allaient vagabonder bras dessus bras dessous. *Ce n'était pas moi,* se dit-il avec un pincement de cœur. *Ce devait être quelqu'un d'autre.*

Il laissa retomber les lames. Il voulut arrêter le flot de souvenirs, mais des lambeaux d'anciennes conversations traînaient encore dans sa tête.

Veux-tu vraiment tenter ta chance en Amérique? avait demandé Anne.

C'est le pays de toutes les possibilités, avait-il répondu.

Je ne suis pas sûre de vouloir être engloutie dans la masse.

La masse. Le pays de toutes les possibilités. La promesse avait été indubitablement tenue; il avait profité de toutes les occasions et fait son chemin aisément. Trop aisément. Il aurait dû se sentir comblé, manifester sa gratitude... alors pourquoi ce vide, ces relents de néant vertigineux? Les souvenirs revinrent, éclatants, désirables comme une réalité à jamais dépassée : les chemins qui dévalaient des collines jusque sur la promenade longeant la plage, les flots de la Manche, les façades blanches des vieux hôtels rangés comme à la parade, la galerie située au-dessus d'un bar appelé *King and Queen* où il allait souvent avec Anne, les voyages en voiture de Brighton à Lewes (c'était toujours l'été dans ses souvenirs) et, au retour, les arrêts chez *Swan,* à Falmer.

La masse. En toute honnêteté, ça n'avait pas du tout été le cas. Il éteignit la lumière et sortit de la salle de bains. Il passa dans la salle d'attente, mit son manteau, puis s'immobilisa comme s'il avait oublié quelque chose. Il réfléchit mais ne trouva rien d'insolite.

Il tapota ses poches, entendit ses clefs cliqueter. Rassuré, il sortit en se demandant où était Bobbi à cette heure-ci, ce qu'elle manigançait et pourquoi elle le haïssait tant.

J'ai pris une certaine décision, se dit-il. Une décision qui était la seule valable. Il écarta l'hypothèse insidieuse qu'il pouvait avoir tort.

Il pouvait s'être trompé.

Et tout en fermant la porte à double tour, il pensait : Kate Myers est morte.

Le garçon leva les yeux vers les tubes au néon du plafond. Il se dit que s'il arrivait à les fixer continuellement, il finirait pas faire le vide dans son esprit et oublier la plaie qui lui brûlait le cœur. Depuis qu'il avait appris l'affreuse nouvelle, le monde lui apparaissait comme un amas de décombres et le présent comme un mal atroce. Mais il avait beau essayer de se concentrer encore et encore sur l'objet fluorescent, le stratagème échouait piteusement; l'effroyable réalité réduisait à néant ses efforts et charriait avec elle les larmes qu'il refoulait opiniâtrement.

Mais pleurer ne sert à rien, pensa-t-il. Pleurer ne peut pas m'aider. Alors, il cligna des yeux sous l'affreuse lumière et continua de fixer les néons...

Elle a dû éprouver une terrible souffrance...

Arrête. N'y pense pas.

Un policier en uniforme vint lui demander s'il désirait boire quelque chose. Il secoua la tête; sa gorge était sèche comme du carton, mais il ne voulait rien boire.

Le policier tourna les talons. Le garçon le suivit des yeux un instant, puis son regard se posa sur une belle jeune femme d'environ vingt ans, assise dans un bureau vitré, de l'autre côté de la salle. Elle feuilletait un gros livre. Un dossier de photographies. *De la souffrance, elle a dû ressentir de...* Il força son esprit à refouler cette pensée. Songe à n'importe quoi sauf à elle, et à sa mort. N'importe quoi. Il existe trois types principaux de tubes fluorescents. A réchauffeur. A allumage rapide. Et le troisième... Quel était le troisième? Il l'avait sur le bout de la langue, mais impossible de le retrouver.

Il ôta ses lunettes, frotta le coin d'un œil, et les remit. A réchauffeur, à allumage rapide, et autre chose encore. Quoi, déjà? A chaque extrémité du tube se trouve une électrode, un fil de tungstène torsadé revêtu de substances chimiques; lesquelles substances chimiques sont connues comme étant des oxydes rares. Un instrument appelé lest fournit le voltage nécessaire à l'allumage de la lampe et règle le débit du courant dans le...

Quelqu'un s'assit à côté de lui, un homme vêtu d'une veste de cuir, la lèvre supérieure ornée d'une moustache noire qu'il tripotait constamment. Un flic, pensa aussitôt le garçon. Probablement l'inspecteur chargé de mener l'enquête.

Une souffrance et une peur terribles.

Le policier effleura son poignet.

– Je suis le lieutenant Marino. Tu es Peter, c'est ça?

Peter hocha la tête. Le troisième type de néon s'appelait...

– Tout cela est un épouvantable cauchemar, dit Marino. Si je peux faire quelque chose pour toi, mon petit...

– Attraper l'assassin, coupa Peter, surpris lui-même d'entendre sa voix si chargée de haine.

– J'essaie, dit Marino en souriant tristement.

Peter baissa les yeux.

Du fond de son être monta l'âpre tressaillement d'une perte, la cuisante douleur d'une irrémédiable dévastation. Cela fut si rapide et si violent qu'il en sentit le goût de fiel au fond de la gorge. Il pensa : *J'aurais pu partir avec elle ce matin. J'aurais pu l'accompagner au musée et ensuite au déjeuner.*

Et rien de tout cela ne serait arrivé, et je ne serais pas ici à essayer de penser à n'importe quoi sauf à cette réalité effroyable : sa mort, les circonstances de sa mort...

– Je vais vraiment faire tout mon possible, assura Marino.

Il émanait du policier une odeur de déodorant mêlé de transpiration. Peter passa le revers de sa main sur son front en sueur. Il régnait dans le commissariat une chaleur d'enfer – si seulement quelqu'un avait la brillante idée d'ouvrir une fenêtre ou de diminuer l'activité des radiateurs! Il ferma les paupières et se dit, atterré, que quoi qu'il fasse elle ne lui reviendrait pas; il aurait beau penser à des électrodes, à des atomes de tungstène ou d'argon, elle ne serait plus jamais ici, dans le présent, auprès de lui, en chair et en os, à lui parler et à lui sourire et à lui passer la main dans les cheveux.

Tous les deux sont morts.

Cela ne l'avait pas frappé jusqu'à cet instant. Son père et sa mère étaient maintenant rayés du monde des vivants, ce qui signifiait qu'il restait seul, totalement seul avec Mike. Mais Mike ne l'aimait pas et c'était réciproque. Cette idée de similitude, d'égalité, lui plut : elle avait l'exactitude et la symétrie d'une formule bien pesée. Puis il songea que Mike devait passer un sacré mauvais quart d'heure à la morgue en ce moment, et il le plaignit.

– Vous n'avez pas d'indices? demanda-t-il à Marino.

Le policier hésita, puis haussa les épaules, d'un air las.

– Nous avons un témoin, je crois.

Je crois : qu'est-ce que cela signifie? se dit Peter.

– Qui?

– Cette jeune femme, là-bas, répondit Marino en pointant un doigt vers le bureau vitré. Elle prétend qu'elle a vu l'assassin en train de perpétrer son crime.

Peter regarda la femme; elle paraissait nerveuse et pâle et fumait cigarette sur cigarette en tournant les pages du dossier, laborieusement, comme une corvée. *Le troisième type de néon est à allumage instantané.* Exact. Il a tout de même fini par l'avoir. Mais aussitôt la vision de sa mère morte, de son cadavre allongé sur une table de la morgue, revint l'assiéger et il dut détourner le visage et se mordre cruellement les lèvres pour ne pas fondre en larmes. Le policier toucha la manche de sa veste.

– Ecoute, Peter, je peux trouver quelqu'un pour te raccompagner à la maison. Nous n'avons pas besoin de toi, ici.

– J'attendrai.

– Bien. Ton père ne va plus tarder.

– Ce n'est pas mon père, dit Peter en ravalant ses larmes.

– Non? (Marino eut l'air perplexe.)

– C'est le mari de ma mère; il y a une différence.

– Ton beau-père, donc.

Peter ne dit rien. Beau-père lui faisait l'effet d'un sale mot, une sorte de créature monstrueuse échappée d'un conte de fées, un être maléfique d'une terrible cruauté. Pourtant Mike n'était pas cruel, seulement indifférent. Seulement froid et distant.

– Tu es sûr que tu ne veux pas un Coca-Cola? proposa Marino d'un air gauche. Nous avons encore un vieux distributeur qui nous donne du coca en bouteilles. On n'en voit plus beaucoup de ces machines-là aujourd'hui. Des boîtes, rien que des boîtes. A mon avis, ça ne vaut pas les bouteilles.

Peter sut gré à l'inspecteur d'essayer de le distraire; hélas, son amabilité ne servait à rien. Il secoua la tête.

– Je n'ai pas soif.

Marino se mit debout et tapota l'épaule du garçon. Courage, voilà ce que signifiait son geste, pensa Peter. Oh mon Dieu, mon Dieu, pourquoi tout cela? Pourquoi cette tragédie? Et la douleur remonta du plus profond de ses entrailles. Le regard vide, il suivit des yeux Marino qui errait d'un bureau à l'autre, qui échangeait quelques mots avec des collègues. L'un d'eux s'esclaffa et ce rire, dans cette ruche inhumaine, lui parut totalement déplacé. Une absurdité de plus dans le chaos général. Son regard se posa alors sur la fille. Les coudes appuyés sur la table, le front dans les mains, elle fumait en passant en revue l'accablant cortège de photographies. Suffit pour la douleur, se sermonna Peter. La tristesse ne sert à rien.

C'est elle qui lui avait fait cette remarque le jour où ils avaient appris la mort de son père au Vietnam. Il se souvenait de ses paroles comme si c'était hier : essaie de te rappeler ton père dans ce qu'il avait de bon; essaie de te souvenir des magnifiques moments que nous avons passés ensemble et tu verras que la tristesse ne sert à rien... Il frappa ses mains l'une contre l'autre avec rage. *Elle n'est plus!* Cette constatation lui parut grotesque; à l'ère des voyages interplanétaires, des lasers à haute puissance, des ordinateurs capables d'engranger 3,3 millions de données par centimètre carré – à une époque comme celle-ci, ils n'avaient pas trouvé le moyen de ressusciter les morts.

Il ouvrit son cartable, jeta un coup d'œil à l'intérieur, puis le referma. Il s'adossa contre le mur, les yeux fermés, et s'efforça désespérément de ne plus penser à rien, de ne plus se souvenir de rien, de faire taire son imagination. Mais un énorme espace vide demeurait en lui, une plaie vive que nul onguent ne pourrait jamais cicatriser, une blessure que seuls le temps et la punition du crime guériraient.

Justice. Attraper le meurtrier. Il se demanda combien de temps il leur faudrait pour lui mettre la main dessus. Il avait lu quelque part que ce n'était pas chose facile, que les assassinats non élucidés pullulaient dans cette ville. L'idée que le meurtre de sa mère pût aussi demeurer impuni et figurer au registre des échecs lui fut insupportable.

Ivre de colère, il fixa de nouveau les tubes fluorescents. Dans l'arc voltaïque, un électron frappe un atome de mercure, élevant ainsi le niveau énergétique d'un autre électron dans l'atome; on obtient alors des rayons ultraviolets invisibles. L'invisibilité, n'est-ce pas aussi ce que provoque la mort? Elle rendait les trépassés invisibles au commun des mortels. Il songea vaguement à la possibilité d'une vie dans l'au-delà, mais il abandonna rapidement ces supputations aventureuses. On meurt et c'est la fin. L'obscurité. Le néant absolu. Alors la vie ne rimait à rien?

Il fut curieux de savoir ce que sa mère avait pensé à l'instant ultime – si elle avait eu le temps de songer à quelque chose devant la mort imminente. Il glissa ses mains entre ses genoux. Il aurait tant voulu discuter avec la jeune femme, apprendre de sa propre bouche ce qu'elle avait vu, savoir son témoignage était véritablement précieux. Mais une terrible léthargie paralysait ses membres – le simple fait de se mettre debout lui parut rigoureusement impossible. Dans cette étuve, il avait l'impression de bouillir, de se liquéfier. Puis il aperçut Marino en grande conversation avec un homme d'allure distinguée, aux cheveux blonds et soyeux, qui portait un manteau sombre et arborait un air important.

Il entendit Marino dire :

– Asseyez-vous là-bas, docteur Elliott. Je suis à vous dans une minute.

Elliott, le psychanalyste de ma mère, se dit Peter en suivant des yeux l'homme qui vint prendre place sur le banc, auprès de lui. Elliott tira délicatement sur les plis de son pantalon en s'asseyant. Peter croisa les bras et ferma les paupières. La proximité du psychiatre lui interdisait désormais toute échappatoire concernant sa mère. Qu'avaient-ils bien pu se raconter durant leurs entretiens? Quelle sorte de secrets avait-elle divulgués? Il ressentit un malaise indéfinissable à être auprès de cet homme qui connaissait Dieu sait quels détails sur la vie privée de sa mère.

– Etes-vous le fils de Kate Myers?

Peter ouvrit les yeux et regarda le psychiatre : il lut dans ses yeux de la commisération.

– Oui.

– Je crois que je sais ce que vous ressentez... Je suis le Dr Elliott, le médecin de votre mère. Si cela peut vous aider à surmonter cette terrible épreuve, je me tiens à votre disposition. Au moment où vous désirerez vous confier à quelqu'un, n'hésitez pas...

– Savez-vous qui l'a tuée?

– Non.

– Alors comment pouvez-vous m'aider?

– La mort est une chose bien difficile à affronter, répondit Elliott en souriant tristement. Surtout quelque chose comme... (Il laissa la phrase en suspens, regarda ses doigts soigneusement manucurés d'un air lointain.) Plus tard, vous pourriez ressentir le besoin de parler, d'exprimer ce que vous avez sur le cœur, c'est tout.

Une chose bien difficile à affronter, répéta Peter à part lui. Il lui sembla brusquement qu'il s'éveillait d'un rêve grotesque, couvert de sueur et encore hébété par les visions démoniaques qui l'avaient assailli, que tout ceci n'était qu'un affreux cauchemar. Mais non. Non, elle ne va pas franchir cette porte et venir vers moi en souriant. Ni maintenant ni jamais.

– Votre mère m'a montré un jour une photographie de vous. Vous étiez très proches l'un de l'autre, n'est-ce pas? (Il lui tendit un petit bristol blanc.) Sachez que vous pouvez m'appeler quand vous le désirez.

Peter glissa la carte dans la poche intérieure de son blouson sans la regarder. Puis, sur une invitation de Marino, Elliott se leva; les deux hommes pénétrèrent dans un bureau et la porte se referma sur eux. Peter se rendit compte qu'il n'avait jamais été aussi seul de sa vie.

Marino nourrissait des sentiments pour le moins ambivalents à l'égard des psychiatres; il avait d'ailleurs, concernant les dentistes, les avocats et les médecins généralistes, les mêmes réserves à formuler : des maux abominablement chers mais pas toujours nécessaires. Sa femme avait consulté un psychologue à l'époque où elle était enceinte de leur premier enfant. Elle lui avait alors octroyé le nom ronflant de conseiller. Pour une raison obscure, elle avait eu le sentiment que l'enfant n'allait pas naître, ou qu'elle était trop étroite pour le garder jusqu'à terme. Des craintes tout à fait normales chez une femme enceinte, lui avait assuré Marino pour la tranquilliser. Le « conseiller », avec force circonlocutions ampoulées valant leur pesant de dollars, ne lui avait pas dit autre chose après une bonne demi-douzaine de séances... Il se demandait depuis, avec perplexité, pourquoi diable il fallait tant de temps à certaines personnes pour accoucher de platitudes.

Habitué à scruter les faits et gestes de ses visiteurs, il regarda Elliott qui prenait place en face de lui et posait les mains sur ses genoux. Des mains particulièrement soignées, remarqua-t-il. Une peau couleur de papier blanc. Ce n'était pas le genre d'homme à effectuer un travail manuel, pas même une besogne aussi simple que d'entretenir un jardin.

– Comment est-elle morte? demanda Elliott.

Marino lui raconta en quelques mots ce qu'il savait; tout en parlant il chercha à déceler sur le visage du psychiatre un quelconque indice, un changement d'expression. Mais il en fut pour ses frais. A force de passer sa vie à écouter les plaintes des uns et des autres, le bon docteur avait fini par être immunisé contre les violences de l'espèce humaine.

– Savez-vous qui a fait cela?

– Nous avons un témoin, dit Marino évasivement.

Il regarda par la vitre qui séparait le bureau de la salle principale; de l'endroit où il se trouvait, il voyait la tête du gosse, ses cheveux noirs en broussaille, juste de l'autre côté du carreau. Je n'aurais pas dû lui parler, pensa-t-il le cœur serré.

– Qu'a vu le témoin?

– Une blonde avec un rasoir. C'est du moins ce qu'elle affirme.

– Vous ne semblez pas la croire...

– Je n'ai pas dit cela. Mlle Blake soutient qu'elle n'a pas bien vu la meurtrière à cause des lunettes noires que portait celle-ci.

Des lunettes noires. Une blonde. Un rasoir.

Marino crut apercevoir sur les traits du psychiatre une ombre imperceptible, un éclair fugitif au fond de ses yeux froids. Oh, je vois partout des choses qui n'existent pas, pensa-t-il en se renversant contre le dossier de son fauteuil. Déformation professionnelle, voilà tout.

– Etait-elle seule lorsqu'elle vous a quitté? demanda-t-il.

– Autant que je puisse l'affirmer, oui. Pour être exact, je l'ai laissée sur le seuil de ma salle d'attente.

– Pourquoi venait-elle vous voir?

– Je ne peux pas divulguer les confidences que l'on me fait, lieutenant, dit Elliott après une légère hésitation.

– Oui, je sais. Et moi j'ai un meurtre à résoudre!

– C'est bon, c'est bon. Disons qu'elle avait quelques difficultés conjugales. Elle était aussi périodiquement troublée par des rêves.

Bobbi. Il sentit la panique sourdre en lui, et il fit des efforts considérables pour la contenir. Bobbi. Comment était-ce possible?

– Quel genre de rêves? Quelle sorte de difficultés?

– Etes-vous marié?

– Oui, mais je ne vois pas...

– Des enfants?

– Deux fils, mais je ne vois toujours pas...

– Quand avez-vous couché pour la dernière fois avec votre femme?

– Je ne vois pas en quoi cela vous regarde! protesta Marino.

– C'est exactement ce que je ressens lorsque vous me posez des questions sur Kate Myers.

Marino sourit. Une fine pellicule de transpiration chatouillait ses sourcils; il frotta ses yeux puis leva les mains en signe de paix.

– D'accord. Je me le tiens pour dit. Seulement, je vous pose ces questions parce que j'ai une pauvre femme sauvagement assassinée sur les bras... et elle ne risque plus d'être gênée par ce que vous pourriez me raconter sur son compte. Sinon, croyez bien que je m'en passerais.

– Je n'ai guère l'habitude de discuter des cas que je traite avec des profanes, rétorqua Elliott.

Merde, pensa Marino. Je suis tombé sur un vrai mur de brique. La barrière, et derrière elle une étendue glacée.

– Ecoutez-moi... Je suis un flic. J'essaie de découvrir un indice, une piste pour faire la lumière sur cette sordide affaire. Je ne vous pose pas ces questions pour le plaisir, croyez-moi. (Il lorgna le psychiatre du coin de l'œil, espérant l'avoir convaincu de sa bonne foi. Il se souvint de certaines magouilles dans lesquelles avaient été mêlées des têtes d'œuf de ce genre, et les difficultés inouïes qu'il avait rencontrées en essayant de leur tirer les vers du nez. Du vrai sang de navet congelé.) Je vais m'y prendre d'une autre manière, docteur Elliott, dit-il en se raclant la gorge. Recherchait-elle la mort?

– Vous voulez dire : était-elle suicidaire?

– Oui.

– Non, elle ne l'était pas.

– D'après vous, pourquoi a-t-elle suivi aussi facilement le dénommé Lockman? Elle ne le connaissait ni d'Eve ni d'Adam. Il aurait pu être un dangereux timbré.

Elliott garda le silence.

Poussant un soupir résigné, Marino posa ses mains à plat sur le bureau et contempla durant quelques secondes ses doigts courts et charnus.

– Lui ne l'a pas tuée. Mais le suivant aurait pu le faire.

– Suggérez-vous qu'elle désirait être tuée?

– Je n'en sais rien, avoua Marino. Elle erre dans les rues à la recherche d'aventures... Elle se laisse entraîner par un étranger. Cela ne dénote-t-il pas une certaine insouciance envers sa propre sécurité?

Elliott resta bouche cousue.

Las et frustré, Marino quitta son siège. Il alla à la fenêtre et jeta un coup d'œil dans la rue obscure. Les questions, les réponses évasives, les soupçons, tout ce processus fastidieux qui formait son pain quotidien... Il aurait souhaité pouvoir faire comprendre aux gens combien ce jeu-là l'épuisait. C'était comme d'allumer des bougies mouillées dans une chambre noire. Une étincelle, et puis plus rien. Admettons, se dit-il, que ce docteur ait fait serment de garder certaines confidences par-devers lui. Soit. Mais à mes yeux les priorités sont renversées. La femme est morte, bon sang! Et si Liz dit la vérité, alors une folle est en train de se balader en liberté, prête à tuer de nouveau. Il se retourna et fixa la nuque du médecin.

– Donc elle tombe nez à nez avec une psychopathe dans un ascenseur. Et cela par la plus incroyable des coïncidences?

– Je l'ignore, répondit Elliott.

– A moins que cette blonde n'ait attendu Kate Myers pour une raison précise...

Elliott se tourna dans sa direction.

– Connaissez-vous des psychopathes, docteur?

– Je travaille aussi dans un établissement pour fous homicides.

– Aurait-elle pu rencontrer l'un de ces cinglés dans votre cabinet de consultation? Une folle qui l'aurait suivie?

Elliott sourit pour la première fois.

– Tous mes patients dangereux sont enfermés. Ils ne viennent pas à mon bureau.

– Et un nouveau patient, par exemple? Vous devinez immédiatement s'ils sont fous à lier lorsque vous les recevez pour la première fois? Pouvez-vous l'affirmer?

– Bien sûr que non...

Marino vint s'asseoir devant lui sur le coin du bureau et balança une jambe d'avant en arrière.

– Protégez-vous l'un de vos malades, docteur?

– Non, absolument pas.

– Serait-il possible que l'un d'eux ait vu Kate Myers entrer chez vous ce matin, puis l'ait filée après son départ? Serait-ce possible?

– Je crois que vous vous fourvoyez, lieutenant.

– Je crois que mon témoin devrait jeter un coup d'œil sur les patients que vous avez reçus avant l'arrivée de Kate Myers, docteur. Ainsi nous pourrons nous assurer que ma psychopathe n'est pas votre psychopathe... Juste?

Elliott secoua la tête d'un air navré.

– Je dois protéger...

– Oui, les confidences de vos patients, je sais, je sais. C'est bien dommage car je vais devoir perdre un temps précieux à obtenir l'autorisation du tribunal, mais soyez sûr que je finirai par vérifier votre registre. Je suis désolé que nous ne puissions coopérer plus étroitement...

– Vous pouvez me croire sur parole. Je ne protège personne.

– Malheureusement, il m'est interdit de croire qui que ce soit sur parole dans cette histoire, docteur. Vous ne serez peut-être pas de mon avis, je suppose, mais il arrive que les gens ne disent pas toute la vérité, ou pas toujours.

Elliott se leva. Marino en fit autant en pestant silencieusement contre ce fâcheux contretemps. Il était bien placé pour connaître la lenteur pointilleuse de l'administration : non seulement il ne lui serait pas facile d'obtenir l'autorisation officielle, mais lorsqu'il l'aurait, il est probable que cette piste ne conduirait nulle part. Ce ne serait jamais qu'une vague possibilité de plus à éliminer.

Elliott sortit du bureau après l'avoir salué.

Marino regagna son fauteuil. Les yeux fermés, il essaya de faire le vide dans son esprit, mais il avait la conviction irritante d'avoir perdu son temps, d'avoir négligé bien des hypothèses.

La porte du bureau s'ouvrit et Niven entra dans la pièce, impeccablement sanglé dans un uniforme trop étroit pour sa corpulence.

– Mlle Blake n'a reconnu personne. Que voulez-vous que je fasse d'elle, maintenant?

– Qu'elle rentre chez elle, ordonna Marino.

Il aurait voulu ajouter : Nous pouvons tous rentrer chez nous. Au lieu de quoi, il se renfonça lourdement dans son fauteuil, les yeux clos, et tâcha comme il le faisait toujours en pareil cas de se mettre dans la peau de l'assassin. Ce dernier appartenait à un genre qui lui demeurait parfaitement étranger; quelle clef fallait-il utiliser pour comprendre ses intentions? Dix-huit coups de rasoir.

Dix-huit.

Quelle espèce de folle furieuse était-ce là?

Effondré à l'arrière de la voiture de police qui le ramenait, ainsi que Peter, à la maison, Mike avait l'expression livide de quelqu'un qui allait sous peu se décomposer et éclater en sanglots. Assis à l'autre extrémité de la banquette, Peter aurait voulu lui prodiguer quelques paroles de réconfort, jeter une passerelle – si fragile fût-elle – par-dessus l'abîme de douleur qui les oppressait tous deux. La gorge sèche, il laissa son regard errer par-delà la vitre, vers les artères glauques de la ville et les enseignes lumineuses qui trouaient l'obscurité d'innombrables pointillés brillants. Leroy's Bar & Grill. Le luminaire rouge pendait au coin d'un cabaret, fanal réconfortant pour solitaires en goguette. A l'extérieur, deux silhouettes noires échangeaient des gestes furtifs : ils se passaient probablement une cigarette de marijuana ou une boisson quelconque. Puis la voiture de police longea Madison Square Garden qui affichait un spectacle équestre. Un peu plus loin, une file de taxis attendait patiemment les clients d'un hôtel. Bizarre, sous la sourde lumière des réverbères, ils ressemblaient à des créatures pataudes et fantomatiques, plus grises que jaunes. Les pupilles irritées, il ferma les yeux et entendit Mike marmonner piteusement : *Je ne comprends pas, je ne comprends pas...* Il tira alors un mouchoir de sa poche et s'en tamponna les yeux.

Peter le regarda et eut pitié de lui. Un bref instant, il eut envie de lui raconter l'entretien qu'avaient eu Marino et Elliott, et qu'il avait réussi à intercepter; mais il se ravisa aussitôt : la vérité lui ferait très mal, trop mal.

Il se souvint de l'entrée d'Elliott dans le bureau de l'inspecteur, de la porte refermée sur les deux hommes; il se souvint aussi de la rage désespérée qui l'avait submergé à l'idée de ne pouvoir écouter leur conversation. Il était le premier concerné par cette tragédie et on le tenait à l'écart. Par malheur, il n'avait rien dans sa sacoche qui pût lui permettre d'entendre leurs voix à distance, rien qu'il pût presser contre la paroi. Il s'était alors rendu aux toilettes, mais n'avait pas trouvé ce qu'il cherchait. C'est en revenant sur ses pas qu'il avait aperçu avec soulagement, sur le bureau d'un policier, un verre sale qui avait certainement contenu du lait, séché depuis longtemps. C'est mieux que rien, avait-il pensé en s'en emparant discrètement. Ensuite, il avait collé le verre contre le mur du bureau de Marino; les vibrations des voix des deux hommes venaient percuter la paroi, puis le verre. Il n'avait pas tout saisi, mais les bribes qu'il avait saisies lui firent froid dans le dos.

Elle erre dans les rues à la recherche d'aventures...

Sa mère! Ce n'était pas possible, ils devaient parler d'une étrangère... *une blonde avec des lunettes noires...*

Puis il comprit qu'un dénommé Lockman l'avait embarquée. Comment a-t-elle pu agir ainsi?

Parfois les phrases se perdaient à cause de la mauvaise acoustique, des vibrations ou du brouhaha général qui régnait dans le commissariat, mais il avait recueilli suffisamment d'éléments pour se faire une idée de la situation.

Aurait-elle pu rencontrer l'un de ces cinglés dans votre cabinet de consultation? Une folle qui l'aurait suivie?

Ensuite Mike était revenu de la morgue et un policier avait été désigné pour les raccompagner chez eux. Maintenant, prostré à l'arrière du véhicule, Mike se tourna vers lui, la bouche ouverte comme pour dire quelque chose, mais rien ne sortit de ses lèvres. La voiture arriva enfin devant leur domicile. Dans la nuit, l'immeuble lui parut étrangement silencieux et obscur, sépulcral. *Une espèce de cinglé.*

L'automobile se gara le long du trottoir. Mike ne sortit pas immédiatement : il posait sur Peter un regard vide, immobile. Le garçon, tous muscles contractés, attendit les reproches acerbes et accusateurs qui n'allaient pas manquer de pleuvoir sur lui... *Si tu l'avais accompagnée au musée, si tu avais accepté de venir avec elle au déjeuner, tout cela ne serait pas arrivé!* Mais il disait rien, il se contentait de le dévisager fixement, les traits dénués d'expression, la figure aussi pâle que le mouchoir crispé entre ses doigts.

Elliott alluma la lampe de son bureau et se laissa tomber dans son rocking-chair. Le regard perdu dans le vide, il ne fit pas attention à la minuscule ampoule rouge allumée de son répondeur téléphonique. Il avait eu tort, se reprocha-t-il, de ne pas mentionner l'existence de Bobbi devant Marino; pourtant, il n'était pas arrivé jusqu'à présent à découvrir le lien qui unissait la meurtrière à sa victime. Ce lien formait un obstacle qu'il était incapable de franchir. Comment pouvait-il échouer si piteusement devant cette énigme?

Un rasoir. Une femme de grande taille, cheveux blonds, lunettes noires.

Il gratta sa mâchoire d'un air las, puis se leva, contourna son bureau et alla ouvrir la fenêtre. L'air frais de la nuit lui fit du bien; il respira profondément et baissa les yeux sur ses mains moites. Toute sa théorie sur le secret professionnel avait volé en éclats sous la réalité crue de cet abominable crime. Un prêtre. Que ferait un prêtre si un assassin lui révélait son forfait? Il ne parlerait évidemment pas. Donc les mêmes critères s'appliquaient à son éthique et à sa conduite. Il plaqua une main contre la vitre. Elle tremblait légèrement, secouée de tressaillements nerveux. Personne n'aurait pu pressentir une telle tragédie, personne n'aurait pu prévenir cet assassinat ni imaginer Bobbi dans le rôle de l'assassin. Inquiet, tout de même, par les conséquences éventuelles de son mensonge « moral », il se demanda si Marino avait deviné son malaise au cours de l'interrogatoire.

Il quitta la fenêtre et, tirant une clef de sa poche, il ouvrit une cache dissimulée dans la bibliothèque. Là étaient soigneusement rangés tous les enregistrements. Il vérifia rapidement le contenu de chacune des cassettes, trouva celle qu'il cherchait et la glissa dans son magnétophone. La voix, altérée et brisée par des pleurs et des soupirs, s'éleva dans le silence du cabinet. Il y avait quelque chose d'inquiétant, de sourdement hostile à écouter ce monologue hystérique en pleine nuit, dans la pénombre de son bureau, au milieu d'un immeuble assoupi. C'était comme s'il s'attendait à entendre s'ouvrir la porte de la salle d'attente, puis des pas s'approcher et voir apparaître Bobbi sur le seuil...

Je ne sais pas ce que je t'ai fait, je ne t'ai jamais rien fait de mal, je veux dire, peut-être que tu t'en fous royalement de ce qui m'arrive, c'est cela, Elliott? Peut-être... Tu te moques de tout; il n'y a pas la moindre parcelle d'humanité et de gentillesse en toi... Je t'ai demandé... combien de fois t'ai-je demandé, supplié, tu ne pourrais même plus les compter... Et ces nuits où je voulais mourir parce que tu m'as toujours refusé ce que je souhaitais le plus au monde... Tu ne sais pas ce que je vis; rien dans tes satanés bouquins ne te donne une idée de ce que je souffre! Rien du tout de ce que tu lis ou entends ne t'apprend l'enfer que je traverse, Elliott... Je ne peux plus continuer à supplier et à supplier. Il ne me reste plus aucune dignité... Tu sais ce que je pense de toi, Elliott? Tu sais comment je t'appelle...?

Il arrêta le magnétophone d'un geste sec. J'ai agi correctement, se dit-il en essayant d'oublier la voix aiguë chargée de menaces. J'ai fait ce qu'il fallait faire, je n'ai commis aucune faute professionnelle. Il marcha de long en large, les mains crispées l'une contre l'autre, tandis qu'une voix intérieure lui soufflait insidieusement : *Tu as mal agi à deux reprises, Elliott. Tu as d'abord refusé d'accorder à Bobbi ce qu'elle demandait; ensuite tu as refusé de divulguer les informations que recherchait l'inspecteur Marino. Qu'en dis-tu?*

Non.

Ferme les paupières. Chasse ces pensées.

Les mains humides de sueur, il prit son carnet d'adresses. Le numéro de téléphone de Bobbi devait bien y figurer. Mais où était-il, bon sang, maugréa-t-il en feuilletant fébrilement les pages du carnet. Où était-il? De guerre lasse, il rejeta le carnet.

Qui es-tu? Crois-tu avoir les mêmes prérogatives qu'un prêtre?

Il pinça fortement le haut de son nez.

Une migraine. La tension nerveuse.

Il alla dans la salle de bains, avala deux Equanil, puis revint dans le cabinet. Les cachets le soulageraient un moment...

Le soulageraient de quoi?

Te soulager de l'idée que Kate Myers est morte, assassinée par l'une de tes patientes? Parce que tu as trompé cette patiente?

Non.
Autrement.
Il s'assit dans le fauteuil à bascule. Je pourrais appeler Marino, se dit-il.
Je pourrais lui dire que j'ai réfléchi, que j'ai une information à lui communiquer.
Mais tu n'en es pas sûr, n'est-ce pas?
Tu dois être aveugle pour *ne pas* savoir.
Il se renversa pesamment contre le dossier. La pièce l'oppressait; on eût dit un aquarium glauque où frémissaient le pâle cercle lumineux de la lampe, les ombres sur les étagères de la bibliothèque et le cuir luisant du divan. Il exhala un soupir. Kate n'est pas morte à cause de moi... C'est faux! Elle n'est pas morte parce que j'ai rejeté les suppliques de Bobbi.
Mais sa petite voix intérieure, loin de se laisser réduire au silence, l'accusait au contraire sans répit, martelait son crâne de plus belle : *Tu n'as pas écouté Bobbi. Tu aurais dû lui venir en aide; par ta faute, Kate est morte.*
C'est alors qu'il remarqua l'ampoule rouge du répondeur téléphonique. Il fit remonter la bande au début. *Bip.*
Docteur Elliott? C'est Franklyn Harris à l'appareil. Je suis coincé à Chicago, je ne pourrai donc pas venir au rendez-vous que nous avons fixé pour demain... Bip.

Ici, Anne... Je n'avais vraiment pas l'intention de me montrer si désagréable ce matin au téléphone. Je t'appelle pour m'excuser. Bip.

Le reste de la bande fit entendre un léger chuintement. L'accent anglais d'Anne, cet accent du sud de l'Angleterre, du pays, cet accent précis et joliment façonné réveilla en lui un espoir fou, celui de briser sa solitude et de retrouver un appui. Il prit le téléphone et composa le numéro de White Plains, mais il se ravisa et reposa lentement l'appareil sur son socle.

Pas de message de Bobbi.

Pas de message provocateur et dément.

Du genre : *Ce que je fais de ton rasoir, petite tête?*

Il se renversa dans son fauteuil et se balança régulièrement d'avant en arrière. Elle finirait par l'appeler, par donner signe de vie; tôt ou tard il entendrait cette voix délirante rire sardoniquement dans l'écouteur. Il passa la main sur son front. Transpiration. Un point douloureux, une névralgie. Comment oserais-je en parler à Marino? pensa-t-il. Comment oserais-je faire une chose pareille?

Soudain, une idée lui traversa l'esprit. Il saisit l'annuaire de Manhattan, chercha la section qu'il désirait. L'index pointé en avant, il parcourut toutes les pages de haut en bas, éliminant un à un tous les noms... sauf un. Levy était le seul psychiatre enregistré pratiquant à Manhattan. Il nota l'adresse et le numéro de téléphone dans son carnet, puis rangea l'annuaire. Demain matin, il irait voir son confrère au sujet de Bobbi.

Pour lui dire quoi?

Quoi exactement?

Il n'était plus sûr de rien, désormais.

Il alla s'asseoir sur le divan. La fatigue se répandait dans ses membres telle une ombre, mais le sommeil – il le savait – ne viendrait pas facilement.

Il savait aussi que ce sommeil serait peuplé de rêves qui prendraient possession de son esprit par vagues successives, les flux et reflux de l'océan sur une grève déserte. Il se demandait encore, juste avant de sombrer dans les limbes du sommeil, jusqu'à quel point un psychiatre pouvait se permettre de défendre son malade. La réponse lui échappait, mais il sentait qu'il aurait dû se poser la question depuis longtemps.

4

Elle s'était empressée de changer de vêtements; pourtant, l'impression que le sang de la morte collait encore à sa peau refusait de disparaître, et il lui semblait que les clients du bar où elle était entrée boire un verre la regardaient fixement, les yeux écarquillés d'horreur comme s'ils apercevaient sur ses mains et ses vêtements mille éclaboussures rouges. Calme-toi, tu es stupide de te laisser aller à de pareilles divagations, pensa-t-elle en serrant les dents. Personne ne te regarde, personne ne remarque rien sur tes vêtements pour la simple raison qu'il n'y a rien à remarquer. Et même s'il y a du sang sur toi, il fait bien trop sombre pour que cela se voie. Elle avala une gorgée de son scotch et alluma une cigarette. Se détendre les nerfs. Surtout, ne pas gâcher les choses, se promit-elle. Ne songe pas à Elliott en cet instant, surtout pas à lui. Il aura suffisamment d'ennuis sous peu.

Elle regarda autour d'elle. La salle, éclairée de place en place par des lampes tamisées, n'avait pas changé depuis la veille, alors qu'elle était en compagnie de Walter. Hier. Une journée seulement s'était écoulée, et cependant il lui semblait que cette rencontre avait eu lieu des lustres auparavant. A cette heure-ci, Walter se trouvait probablement déjà à Pocatello. Elle finit son verre, en commanda un deuxième. Elle avait la gorge sèche, mais ne ressentait plus la nervosité de la veille. C'est drôle comme les choses évoluent, pensa-t-elle.

Pourtant, un détail la gênait.

C'était une infime chose, une sorte de minuscule pièce de coton couturée dans son esprit, très loin à l'arrière-plan. Comme une faible rayure sur un miroir.

Elle sourit.

Cela avait été si facile – d'une simplicité enfantine – de détruire; cela avait été si mystérieusement fascinant d'observer la manière dont le rasoir avait cisaillé les chairs jusqu'à mettre les os à nu, jusqu'à découper finement les muscles, tranchant la touffe de poils du pubis en un mouvement impeccable... Quelle enivrante sauvagerie! (Pas de culotte. La garce n'avait pas de culotte!) Cette lueur d'incompréhension dans ses yeux révulsés d'horreur, ce regard qui se métamorphosa en un refus muet, puis en souffrance intolérable, en peur démentielle, et enfin en néant. Elle songea à Elliott, Elliott devant son armoire à pharmacie, contemplant, l'œil morne, la place vide de son rasoir. (Que diras-tu aux flics, Elliott? Que leur raconteras-tu, salaud? Non. Arrête. Tu as fait une promesse : *Pas d'Elliott.*)

Elle balança lentement sa tête au rythme de la musique. Du coin de l'œil, elle vit un homme venir dans sa direction; arrivé à sa hauteur, il poursuivit son chemin comme s'il n'osait pas l'aborder. Le dos raide, il sortit dans la rue en laissant derrière lui un vague parfum de lotion après-rasage. Elle sirota le scotch en s'émerveillant de la confiance toute neuve que lui procurait l'alcool.

Le détail creusait son petit trou, agrandissait son alvéole. Elle pensa : Ne lui permets pas de t'ennuyer.

De toute façon, c'était sans importance.

Les paupières closes, elle se concentra de toutes ses forces sur la voix du chanteur. *You raised me high, upon a pedestal...* Elle aimait cet air et les chaudes vibrations de la voix. Aidée par l'alcool, la musique l'enveloppait d'un manteau d'optimisme, lui susurrait à l'oreille des mots d'espoir. Elle voulut plus que tout au monde se perdre dans la mélodie, sentir son être, ses fibres se dissoudre dans les notes, dans le rythme qui soutenait les mots.

Ne laisse pas cette chose te toucher maintenant. Elle ne doit pas te tourmenter, rejette-la.

Elle ouvrit les yeux, se vit dans la glace qui courait le long du bar. Elle paraissait presque belle. Une silhouette émergea dans son dos, une forme de grande taille. Les doigts épais de l'homme se plaquèrent sur la surface du bar, non loin de son verre, et elle eut en un éclair l'impression qu'un oiseau sans grâce venait de se poser près d'elle.

– Vous avez à ce point besoin de vous requinquer? dit-il.

Elle demeura immobile, muette. Le disque s'acheva, un autre le remplaça, et elle ne disait toujours rien, ne bougeait pas. Tu as cette confiance retrouvée, pensa-t-elle; cette délicieuse sensation de prendre ton essor vers une liberté nouvelle. Elle s'adossa tranquillement à son tabouret.

– Vous invitez? demanda-t-elle.

– Bien sûr, dit-il. Si vous me le permettez.

– Merci.

Le barman posa un scotch devant elle.

– Jackson Irving, dit l'inconnu.

– Bobbi.

– Heureux de faire votre connaissance, Bobbi.

Elle lui sourit, les yeux légèrement plissés par coquetterie. Soudain, elle eut envie de boire, de se griser de mots, de goûter ces propos rituels et banals qu'échangent deux êtres qui se rencontrent. *Venez-vous souvent ici? Quel genre de travail faites-vous? Vous vivez seule?*

– Vous habitez dans le coin? demanda-t-il.

Elle leva les yeux sur lui; il avait une moustache qui lui rappelait un animal de zoo, un morse peut-être, mais elle n'aurait pu le jurer. Il portait aussi des lunettes à verres épais, un costume sombre et un mouchoir glissé dans la pochette du veston. Il avait un air bizarrement guindé, comme s'il se mouvait dans des vêtements amidonnés.

– Pas loin.

Elle tendit la main vers le mouchoir soigneusement plié et le froissa gentiment.

– Laissez-moi deviner, dit-elle en rejetant la tête en arrière. (Elle passa lentement la langue sur ses lèvres et s'étonna de jouer son rôle si facilement.) Je parie que vous êtes un voyageur de commerce de Greensboro.

Il s'esclaffa bruyamment.

– Ah non, vous n'y êtes pas du tout. J'installe des ordinateurs.

– C'est ce que vous faites à New York? Vous installez un ordinateur en ce moment?

Il secoua la tête.

– La société dispense de temps à autre des cours à ses techniciens. Pour nous rafraîchir la mémoire, si vous voulez; les choses changent si vite dans ce domaine...

Elle avala une gorgée de scotch, l'alcool coula

dans sa gorge et la réchauffa merveilleusement. Pourquoi ne se sentait-on pas toujours aussi bien, sans craintes ni pressentiments d'aucune sorte, tout malaise enfin dissipé? *Un épais nuage t'enveloppe, tu erres à l'intérieur et tu t'aperçois qu'il y fait aussi clair qu'à l'aube...*

– Je suis de Watertown. Au nord de New York.

– Ils ont des *ordinateurs* à Watertown?

– Naturellement.

Elle éclata de rire et, dans le mouvement, sa joue effleura l'épaule de l'homme. Décidément, Jackson Irving de Watertown était aussi stupide que Walter Pidgeon de Pocatello, aussi stupide et aussi charmant. Il brandit sous ses yeux un verre rempli d'un liquide jaunâtre à la surface duquel flottait, tel un œil d'ivrogne, une cerise.

– Je ne suis jamais venu ici auparavant, dit-il.

– J'y viens tout le temps, *tout* le temps.

Elle se rendit compte qu'elle avait crié, mais Jackson ne parut pas accorder la moindre attention à ce brusque éclat. Pour reprendre ses esprits que l'alcool embrouillait, elle jeta un coup d'œil dans la salle. Près du juke-box, quelques couples enlacés traînaient paresseusement les pieds; c'est à peine s'ils se déplaçaient tant les partenaires se tenaient collés l'un contre l'autre.

– Voulez-vous danser? demanda Jackson.

– Je ne pense pas... (Il paraissait si solennel, si nerveux qu'elle eut envie de lui rire au nez.) Oh, pourquoi pas, après tout? Je prends le risque.

Et elle gagna la piste de danse suivie de son compagnon qui, aussitôt, la prit par la taille. Ils commencèrent à tournoyer lentement et elle sentit son souffle sur son cou. Laissons aller les choses, se dit-elle en fermant les yeux. La musique avait-elle une raison de s'arrêter soudainement? Y avait-il une raison pour que la nuit se métamorphosât en aurore frileuse, pour que la lumière du jour déchirât tout mystère? Elle se serra contre lui, son ventre toucha le sien et elle frissonna quand elle sentit son membre se dresser au contact de sa cuisse. Elle observa Jackson du coin de l'œil, mais il avait sagement fermé les paupières, évoquant ainsi un collégien un peu pataud s'évertuant à retenir une éjaculation imminente. Elle pensa : *J'ai envie d'être légère, de coucher avec tous les hommes...*

Alors, à l'intérieur de son crâne, la chose infime bougea imperceptiblement.

L'ascenseur. La chute du rasoir. L'autre femme se baissant pour le ramasser tandis que les battants se refermaient... Ces images ondulèrent à la manière d'un rêve, se coagulèrent une brève seconde puis s'évanouirent aussitôt.

Elle ne voulait pas y penser maintenant. Refoule ces souvenirs, enfouis-les dans quelque catacombe. Mais elle se mit à courir... non, elle se souvint qu'elle courait à perdre haleine le long d'un corridor, elle se souvint du martèlement sinistre de ses talons sur le dallage, puis d'une porte donnant sur une allée, à l'arrière de l'immeuble, et enfin d'une rue... C'était vague, confus comme des émanations de gaz délétère, et ces vieux souvenirs ne l'intéressaient plus.

Elle étreignit plus fermement son partenaire, posa sa joue sur son épaule... et dans le mouvement, une autre image s'imposa à elle. Levy. Il lui avait dit quelque chose, des mots réconfortants, une promesse voilée : *Je pense que nous arriverons à résoudre ce problème entre nous.*

Soudain, l'ambiguïté lui sauta aux yeux.

Nous arriverons à résoudre ce problème entre nous.

Quel était le sens de cette phrase?

Elle eut le sentiment que quelque chose venait de se briser en elle, que l'euphorie s'effaçait à toute allure devant un péril étourdissant, qu'un abîme vertigineux s'ouvrait sous ses pieds. Elle claudiqua, chavira, et se retint de justesse au veston de Jackson. (Il y avait des garçons dans le pensionnat; ils jouaient au rugby... ensuite les douches où ils criaient, chahutaient et mimaient la masturbation avec de l'eau savonneuse, ces garçons avec leurs fesses blanches et leurs touffes de poils autour du sexe... Pourquoi songeait-elle à ça maintenant? Ces pensées appartenaient à quelqu'un d'autre, elles n'avaient aucun rapport avec elle.)

La musique cessa. Jackson Irving la conduisit vers un box vide, dans le coin le plus éloigné et le plus sombre de la salle. Je ne veux pas être ici, se dit-elle. Pas maintenant.

Il s'assit tout contre elle, une main pressée sur son poignet et il ouvrait et fermait la bouche, déversait des flots de paroles, des éclats de sons, mais elle n'entendait rien. La main remonta lentement le long de son bras nu tandis que, sous la table, l'autre palpait son genou. Curieusement, tout ce jeu, ces simagrées, la laissèrent indifférente; elle n'était plus là, elle s'était abstraite de cette réalité et flottait dans un espace noir.

– Que se passe-t-il, Bobbi?

Une bizarre pulsation dans sa gorge. Quelque chose y demeurait prisonnier et était en train de mourir. Elle eut envie de pleurer.

– Hé! Allons, allons...

Elle se laissa aller contre le cuir du box capitonné

et ferma les yeux. Un disque succéda au précédent, les pieds des danseurs reprirent leur raclement fatigué, la voix du chanteur entra dans la ronde, et tous ces bruits formèrent une seule stridence à l'intérieur de son crâne. La main avait quitté le genou et caressait le haut de sa cuisse. Elle ouvrit les yeux et pensa : Ils me regardent tous, ils observent tous cette scène, cette main sous la table, goguenards...

Non, pas un seul visage n'est tourné vers toi. Personne ne peut rien voir, hormis toi.

Elle voulut changer la position de sa jambe, mais l'étreinte sur sa cuisse se fit plus forte.

– Détendez-vous, détendez-vous.

Elle regarda cette figure qui avait tout d'une lune boursouflée, les verres de ses lunettes formant comme de sombres cratères.

– Ça vous chatouille, c'est ça?

Elle secoua faiblement la tête. Comment expliquer que cette main qui agrippait sa cuisse devenait petit à petit le noyau incandescent de la panique qui grandissait en elle. Recule, pour l'amour du ciel, essaie d'échapper à sa prise, mais lui riait bêtement comme un chasseur sûr de dévorer sa proie.

Et la chose arriva.

Elle le vit bondir sur ses pieds, l'expression à la fois décontenancée, hagarde presque, et furieuse, la main levée. Le poing resta en l'air, menaçant et ridicule. Au bout d'un moment, il baissa le bras et, comme désespérant de pouvoir exprimer son désarroi et sa honte, il balaya du revers de la main le sac de Bobbi. Affolée et meurtrie au plus profond d'elle-même par ce sordide dénouement, elle le ramassa et s'enfuit à toutes jambes vers la sortie, vers la rue déserte et le froid.

Une souffrance intolérable brûlait dans sa poitrine; elle eut le sentiment d'avoir été trahie par sa misérable condition, d'avoir été punie pour une faute qu'elle n'avait pas vraiment commise.

Et la colère.

La rage commença à annihiler tout autre sentiment.

Elle marcha dans la rue, arpenta mécaniquement le trottoir, l'esprit vide, une sorte de poupée sans cervelle. Surtout ne pas penser. Se cacher plutôt, hurler son humiliation, pleurer, crier contre le ciel, voir le monde se fissurer et disparaître dans les flammes.

Et la colère, un feu dans sa tête.

Du métal en fusion, de la lave.

Elle héla un taxi en maraude, ordonna au chauffeur de rouler au hasard, où bon lui semblerait.

Il m'a touchée, se dit-elle. Il m'a touchée.

Des arbres jetaient sur la chaussée leurs ombres démesurées, allongées; des branches gravaient dans l'herbe rare leurs formes sombres et aplaties tandis que dans l'air de ce long après-midi d'automne montait une odeur de feu de bois, de feuilles mortes qui crépitent et flambent...

Elle regarda d'un œil morne défiler les rues, les immeubles, les gens...

La colère, la haine.

Soudain, elle se souvint. Elle revit avec une clarté surprenante le visage de la femme qui avait failli pénétrer dans l'ascenseur. Un très joli minois; le genre de frimousse qu'un homme comme Jackson Irving ne giflerait pour rien au monde. En tremblant misérablement, elle tira un mouchoir de son sac et s'en couvrit la bouche. Sa haine redoubla d'intensité – elle s'en voulait d'être aussi... aussi quoi?

Faible?

En colère?

De l'autre côté de la vitre, le monde paradait sous ses yeux. Et toujours Elliott au bout du chemin, éternellement; elle finissait toujours dans ce cul-de-sac, tel un fétu de paille emporté par les flots, se cognait toujours contre ce mur, quoi qu'elle fît pour y échapper. Des signaux lumineux – fanaux dans la brume – passèrent nonchalamment sous ses yeux comme pour mieux la narguer, puis des épiceries aux grilles baissées, et encore des gens, silhouettes furtives dans le crépuscule. Le rasoir, pensa-t-elle; je n'ai plus le rasoir.

L'autre femme l'avait ramassé.

L'autre femme avait *vu*...

L'adorable petite femme à la jolie frimousse.

La colère est si proche de la peur; ce sont deux pays séparés par une frontière qu'on peut aisément franchir... Bon Dieu! C'était exactement ce qu'*il* avait dit un jour, et elle qui croyait que cette réflexion lui appartenait! *Vous êtes en colère, Bobbi, et effrayée aussi. Lorsque vous obtenez un passeport pour le premier état, n'oubliez jamais que vous avez aussi un visa pour le second.* Un visa, un passeport... tous ces mots creux dont il vous remplissait la tête, quelles banalités! Quelles stupidités! Et l'imbécile devait certainement se prendre pour un monstre de clairvoyance et d'intelligence.

Oh, mon Dieu!

Elle se força à chasser Elliott de ses pensées, mais ce fut pour voir apparaître devant ses yeux l'image de cette jolie femme, forme coagulée en un horrible cauchemar.

Essaie de te souvenir...
Essaie de te souvenir où...
Dehors, tout contre la vitre, la ville surgissait par pans entiers, par protubérances informes de l'obscurité et s'évanouissait aussitôt dans le sillage de la voiture; on eût dit qu'un artiste de deuxième zone avait construit en dur ses propres aberrations. Elle tressaillit – la peur s'infiltrait en elle, gagnait ses moindres fibres. Elle sut ce qu'elle allait faire et en conçut d'avance une peur atroce.
Elle se pencha en avant et frappa contre la vitre qui la séparait du chauffeur.

– J'ai vu une meurtrière!
– Tu blagues ou quoi?
– Bien sûr que je blague... Je blague tellement que j'ai gardé le meilleur pour la fin, Norma. Figure-toi que les flics se sont mis dans la tête que c'est moi qui ai commis ce meurtre abominable!
– Maintenant, je suis certaine que tu me fais marcher.
– Ah oui? Et à quoi tu reconnais que je te fais marcher? A ma voix?
– Tu ne parles pas sérieusement, dis?
– Je n'ai jamais été plus sérieuse, bon Dieu!
– Doux Jésus...
– Je ne crois pas qu'il puisse m'aider, tu sais.
– Ecoute, veux-tu que je passe chez toi?
– Oui. Rien ne me ferait plus plaisir, Norma.
– Accorde-moi trente minutes.
Liz raccrocha puis, désœuvrée, marcha de long en large dans la chambre à coucher, les bras croisés sur la poitrine. Il y a dans la vie des choses dont on ne peut pas se débarrasser, pensa-t-elle en écartant le rideau. En bas, la rue était sombre et déserte. Il y

a des événements qu'on ne peut tout simplement pas rejeter dans l'oubli parce qu'ils sont trop atroces. Aussi longtemps que tu vivras, ma belle, tu te souviendras de cette mare de sang, de ces deux visages – la victime et la meurtrière. Pas moyen d'y échapper.

Elle passa dans le salon. Elle frissonna et alluma une cigarette, croyant ainsi se réchauffer ou tromper sa nervosité. Dis-toi, persuade-toi qu'il ne s'agissait que d'un rêve, d'un mauvais rêve... Non, laisse tomber, tu n'y arriveras jamais : les rêves sont généralement flous comme des reflets sur une eau qui ondule, tandis que cette maudite image est claire et nette et semble s'être gravée pour l'éternité dans ma mémoire. Ce visage derrière la paire de lunettes noires. Liz ne savait même plus ce qui avait été le pire – contempler la femme agonisante ou voir la meurtrière.

Elle regarda les marques d'ongles sur la main.

Le testament de la victime.

Elle alla à la cuisine en traînant les pieds. La solitude lui pesait, ce vaste appartement sans chaleur lui donnait le frisson. La solitude... non pas celle – apaisante et calme – qu'elle appelait si souvent de ses vœux, mais quelque chose de plus sauvage, de plus désolant. Elle s'assit dans son coin préféré, devant la table de la cuisine, là où elle buvait son café le matin en grillant une cigarette, là où elle cogitait et monologuait. Si seulement ce type – Ted – l'avait raccompagnée jusqu'à l'ascenseur, un simple geste de courtoisie. Je viens avec toi jusqu'à l'ascenseur, chérie. Elle aurait eu un témoin, si cet idiot, après la séance, n'avait pas paru si pressé de la voir déguerpir. Etrange... Chez lui comme chez beaucoup d'hommes, une honte diffuse succédait au coït, la culpabilité devait planter ses griffes sur eux. Une fois les frasques passées, une fois l'envie éteinte, ils se souvenaient brusquement de leur épouse et de leurs enfants; on aurait cru qu'ils désiraient inconsciemment être surpris la main dans le sac... et recevoir une punition. Si seulement il l'avait accompagnée jusqu'à l'ascenseur.

Elle bâilla, écrasa sa cigarette, en alluma une autre. Elle était encore sous le choc, écrasée de fatigue, et les yeux lui faisaient mal. Où allait-on si les complaisantes employées d'un soi-disant service d'escorte avaient besoin à leur tour de se faire escorter? Elle se leva, arpenta la cuisine, jeta un coup d'œil désabusé dans le Frigidaire, puis ferma le store.

La sonnerie du téléphone retentit, sinistre, dans le vaste appartement. Elle décrocha, entendit un déclic.

Elle fit une grimace et replaça lentement le téléphone sur sa fourche. Quelque part dans cette ville, il se trouvait des timbrés pour appeler les gens le soir dans le seul but d'inquiéter, de propager l'angoisse. Je devrais une fois pour toutes faire supprimer mon numéro de l'annuaire; voilà cent fois que l'on me fait cette mauvaise plaisanterie.

Un certain nombre de fois, en tout cas.

Pas si souvent que cela, en fait.

Bah, un cinglé aura décidé de mettre ta patience à l'épreuve. Ou bien un cambrioleur à l'affût d'un mauvais coup... Mais au fond elle n'y croyait pas.

Elle retourna vers le téléphone et composa le numéro de sa mère. Elle l'imagina quittant son poste de télévision et venant décrocher; elle avait une étrange passion pour Randolph Scott.

– Maman, je te réveille?

– Liz? Non, pas du tout. Je regardais la télévision...

– Maman, est-ce que tu m'as appelée il y a un instant?

– C'est drôle que tu me demandes ça, j'allais justement le faire.

– Mais tu ne l'as pas fait?

– Non. Pourquoi? Quelqu'un t'a appelée?

– Oh, ce n'était rien.. Comment vas-tu de ton côté?

– Très bien. Arganbright m'a conseillé un nouveau médicament qui a l'air de faire de l'effet. En tout cas, je ne me sens plus aussi courbaturée qu'avant.

Arganbright, le vieux docteur de la famille. Arganbright et son visage fripé et creusé de rides; le genre d'homme qui semblait avoir présidé à la naissance de millions de bébés. C'est lui qui l'avait mise au monde.

– Quelque chose ne va pas, Liz?

Ah, l'intuition maternelle! Aussi mystérieuse et infaillible qu'un radar.

– Non, tout va bien, maman, assura-t-elle.

– Tu viens toujours à Noël, n'est-ce pas?

– Naturellement que je viendrai. Je m'en réjouis d'avance.

Tu parles, pensa-t-elle : la réunion familiale, la dinde farcie et la sauce aux airelles. Et les membres de la tribu, aucun d'eux n'ayant quoi que ce soit de commun avec les autres, qui font religieusement un long voyage pour goûter le privilège d'offrir quelques cadeaux, l'air extasié, et de prendre une bonne indigestion.

– L'oncle Franck vient aussi, dit sa mère.

– Eh bien, voilà une bonne nouvelle... (Il existe

certains hommes qu'on imagine sans peine prenant lascivement des fillettes de sept ans sur leurs genoux. C'était le cas de l'oncle Franck.)

– Tu te rends compte, il va venir d'Albuquerque.

– En effet, c'est une sacrée distance...

– A son âge, c'est quelque chose.

Liz crut entendre le dentier de sa mère cliqueter.

– Ton frère sera de la fête, naturellement.

Liz songea à Ronald et à cette petite boulotte dont il avait fait sa femme; elle songea à cette boîte étriquée qu'ils avaient le toupet d'appeler leur chez-soi, une de ces maisons standardisées, parfaitement identiques les unes aux autres, qui jalonnent des rues entières de Phoenix. Ronald était dans l'électronique; quant à Rhonda, sa femme – Rhonda, en plus –, elle travaillait dans un hospice de vieillards. L'idée de rencontrer son frère, de lui parler, lui était insupportable; ses bavardages inconsistants sur les souvenirs du bon vieux temps lui donnaient la nausée. Et Rhonda poserait ses grosses fesses dans un coin avec un monceau de chaussettes à repriser, et sourirait bêtement devant nos mines perplexes. Ma chair et mon sang, pensa Liz avec dégoût. Elle avait beau s'étonner de sa si parfaite indifférence envers sa proche famille, elle n'arrivait pas à se trouver des points communs avec elle. Quant à sa culpabilité, il y avait belle lurette qu'elle s'en arrangeait. Elle s'amusa à imaginer le scandale – et la surprise offusquée de la chère assemblée – si elle participait au repas de Noël puis, immédiatement après la bénédiction, annonçait la nature véritable de sa profession. Traumatisme. Choc. Incrédulité. *Oui, vraiment, je vends mon corps pour vivre. Mais c'est seulement pour une courte période, vous comprenez...*

– Liz, es-tu sûre que ça va?

– Absolument.

– Tu me le dirais, n'est-ce pas?

Liz reconnut la chanson, la supplique du style : Je-souhaiterais-tant-que-ton-père-soit-encore-de-ce-monde.

– Bien sûr que je te le dirais, si ça n'allait pas. Mais ne te fais pas de soucis, tout est épatant.

Epatant, voilà un mot qui allait droit au cœur de sa mère, un mot qui sentait bon le patois familial.

– Je voulais seulement t'appeler pour avoir de tes nouvelles, reprit Liz. Je t'écrirai dans les prochains jours. Au fait, as-tu besoin de quelque chose?

– Tout ce dont j'ai besoin, Liz Blake, c'est une longue lettre de toi de temps à autre.

– Tu l'auras, c'est promis.

– Prends soin de toi, tu m'entends?

– Ne t'en fais pas. Bonne nuit, maman.

Elle raccrocha. Tout est épatant... *comme d'être soupçonnée de meurtre, par exemple.*

Le plus important est de croire dur comme fer à ton innocence et ne plus en démordre, se dit-elle en s'affalant sur le divan. Quoi qu'il arrive, tu dois continuer à affirmer que tu n'as rien à voir, de près ou de loin, avec cet horrible carnage. Ainsi, même s'ils te passent au détecteur de mensonge, ils ne trouveront rien qui puisse t'incriminer. Je n'y suis pour rien, se répéta-t-elle; je suis aussi pure que l'agneau qui vient de naître. Que Marino aille au diable, et ses déductions oiseuses avec lui!

Elle ferma les yeux. Lassitude. Sommeil.

Elle songea à la sonnerie du téléphone, au déclic

à l'autre bout du fil. Tu es en sécurité, Liz. La meurtrière ne peut pas parvenir jusqu'à toi. Reste tranquillement assise.

Comment se fait-il, alors, si tu es tellement en sécurité, que tu aies les nerfs à fleur de peau? Rien de plus normal, voyons, après une journée aussi chargée d'émotions. Grâce au ciel, Norma sera bientôt ici, sa compagnie me fera du bien. Je ne cracherais pas non plus sur un verre de vin et un bon petit somme. Sans transition, elle pensa à son père. Ce n'était pas la première fois qu'elle devinait sa présence non loin d'elle, qu'elle ressentait la désagréable et inquiétante impression qu'il observait ses moindres faits et gestes par-delà la tombe, par-delà la mort. Et toujours cette même voix douloureuse chargée de reproches. *Pas ma fille, pas ma petite fille...* Quelle idée fantasque et morbide! Il y a forcément de la culpabilité là-dessous. Si seulement je parvenais à m'en débarrasser comme on dissimule la poussière sous un tapis. Parfois, Liz imaginait son père, blanc comme un linge, évanescent comme un spectre, planant dans les nuages au-dessus de sa tête et versant des larmes sur sa pauvre petite fille.

Tu deviens complètement ridicule, bébé.

Les seuls souvenirs qui te restent de ton père sont l'odeur de tabac qui imprégnait ses vêtements, son crâne chauve luisant à la lumière, et sa générosité. Sacré vieux bonhomme, il n'était jamais à court d'un dollar. *Et voilà! Elle court toujours se réfugier auprès de son père*! disait sa mère en protestant. Liz sentit la tristesse l'envahir à mesure que les souvenirs affluaient. La dernière fois qu'elle avait vu son père, il n'en avait plus que pour quelques heures à vivre; il gisait sur un lit d'hôpital, entouré d'appareils barbares qui entretenaient artificiellement sa respiration. Il y avait dans ses yeux une douloureuse humiliation. En passant dans le couloir, elle avait alors entendu l'un des internes dire à un collègue : *Ce gars est plus cancéreux qu'un rat de laboratoire. C'est bien simple, il l'est de la tête aux...*

Vie et amour, aux yeux d'une petite fille ces choses semblaient si ténues, si fragiles. Malgré son chagrin, elle fut heureuse de le voir mourir et cesser ainsi de souffrir. Oui, elle avait ressenti un véritable soulagement.

Elle regarda l'heure. Il était exactement 1 heure du matin.

Après avoir quitté le taxi, elle longea deux pâtés d'immeubles, passa devant un magasin fermé où abondaient caméras, calculatrices et jeux électroniques de toutes sortes. Les accords d'un saxophone s'élevèrent d'un club de jazz et, plus loin, dans l'entrée d'un prêteur sur gages, elle aperçut la silhouette d'un homme couché. Au coin de la rue, elle s'immobilisa. Une voiture de police faisait sa ronde de nuit, coincée entre plusieurs taxis jaunes qui semblaient raccompagner l'intrus hors de leur territoire manu militari. Dédaignant le signal lumineux « Attendez », elle passa de l'autre côté de la rue, croisa deux hommes qui discutaient âprement devant une cabine téléphonique et poursuivit son chemin. Le bloc suivant n'était qu'une longue façade grise, l'image même de la désolation et de l'absence.

Au bout, un magasin éclairait violemment le trottoir. Elle s'approcha de la vitrine où se dressaient deux mannequins de bois. Une scène de mariage avec vêtements assortis. La femme, debout, était enveloppée d'une cascade de soie blanche et des fleurs piquetaient sa coiffe; l'homme arborait fièrement un smoking de velours et une chemise à jabot. Ils avaient tous deux l'expression radieuse et glacée des objets dépourvus de vie. Un mariage de mannequins, se dit-elle. Cette scène lui rappela quelque chose... Elle fixa les yeux morts de l'épouse. Frigides, sans passion. Cette absence de chaleur et de vie lui fit peur; elle imagina un étalagiste vicieux ôtant les vêtements des deux mannequins une fois la fête terminée, puis couchant l'homme sur la femme dans l'arrière-salle, mimant une lune de miel sordide consommée au milieu des cartons et des boîtes.

Elle tourna les talons.

Autour d'elle, l'obscurité se fit plus oppressante. Elle remonta frileusement le col de sa veste; seul l'écho de ses pas brisait nerveusement le silence de la nuit. Le froid mordant transperçait ses vêtements et brûlait sa peau, s'infiltrait jusque dans ses os. Elle atteignit enfin l'immeuble qu'elle recherchait et s'engouffra immédiatement dans le hall surchauffé. Le dallage était composé de carreaux noirs et blancs, suggérant un énorme damier brillamment éclairé.

Devant elle, à quelques mètres, le panneau de l'ascenseur.

Soudain, elle hésita devant la marche à suivre; ces lieux la déconcertaient. Désorientée, ne sachant que faire, elle s'adossa contre un mur et contempla les rangées de boîtes aux lettres disposées en face d'elle. Un nom, un numéro d'appartement. *Ça n'a aucune importance. Pourquoi cela en aurait-il?*

63. Appartement 63.

Elle allait se diriger vers l'ascenseur lorsque la porte d'entrée de l'immeuble s'ouvrit. Elle se retourna brusquement, comme piquée au vif, puis reprit sa marche. Une jeune femme noire pénétra dans le hall et la suivit; elle portait un long manteau de fourrure très élégant, des bottes de couleur marron, et ses cheveux crépus étaient coiffés en tresses si fines qu'on distinguait la peau violette de son crâne.

Les lunettes noires.

Elle chercha fébrilement dans son sac, mais ne put mettre la main dessus. Tu n'en as pas besoin pour le moment, se dit-elle. L'ascenseur stoppa à son niveau, les battants s'ouvrirent, elle entra. Derrière elle, la femme dit :

– Attendez-moi, voulez-vous?

Avant qu'elle ait pu appuyer sur le bouton du sixième étage, l'autre se précipita en riant, le souffle court.

– Merci, dit-elle.

Bobbi fixait les pointes de ses chaussures.

– Cet ascenseur est le plus lent que j'aie jamais vu, assura la femme noire.

Bobbi ne dit rien. L'ascenseur s'éleva puis gagna progressivement de la vitesse. La femme sortit un mouchoir de son sac, essuya le bout de son nez, renifla doucement.

Elle n'a pressé aucun bouton, pensa Bobbi.

Elle allait donc aussi au sixième étage.

Elle jeta un rapide coup d'œil sur sa voisine, sur ses tresses soigneusement faites, sur ses lèvres outrageusement fardées. Puis elle eut conscience d'être à son tour évaluée et examinée. Elle se demanda avec inquiétude si un détail dans son accoutrement, ses manières, éveillait la curiosité.

Est-ce que je parais vraiment si bizarre? Non, rassure-toi et reste tranquille, tu te fais des idées. Tout est à sa place.

L'ascenseur s'arrêta. Elle laissa la femme noire la devancer dans le corridor dont la moquette étouffait les pas; de son côté, elle sortit lentement de la cabine et ouvrit son sac, faisant mine d'y chercher ses clefs. Le cœur palpitant, elle crut que l'autre s'était retournée et avait regardé par-dessus son épaule. Mais c'était stupide : pourquoi aurait-elle un quelconque soupçon? Elle avança encore d'un pas dans le couloir. Ne t'inquiète pas, se dit-elle avec force; dans une minute cette femme disparaîtra à l'intérieur d'un appartement et tu seras enfin débarrassée d'elle. Délivrée.

Car tu n'as rien à craindre, n'est-ce pas?

Les muscles noués par l'attente, les doigts crispés sur son sac, elle se retourna vers le mur, faisant semblant de chercher la lumière. Elle aurait tant souhaité ne pas avoir lâché son rasoir; elle aurait tant voulu l'avoir maintenant entre les mains pour s'en servir si nécessaire...

Elle vit la femme s'immobiliser à l'autre bout du couloir, sonner, attendre. La porte s'ouvrit sans tarder, elle disparut et Bobbi demeura seule.

Le couloir était désert.

Son soulagement fut tel qu'elle eut l'impression de tomber, de perdre l'équilibre.

Non...

Elle se mit rapidement en mouvement.

Non.

C'était vrai. Vrai. Bobbi passa doucement les doigts sur les petits chiffres en bois cloués à la porte.

63.

Pourquoi la femme noire était-elle entrée justement dans cet appartement?

Elle recula d'un pas, les deux chiffres semblaient l'accuser d'une faute qu'elle ne saisissait pas. Elle ferma les yeux et se mordit violemment les lèvres. Elle sentit un goût de sang se mêler à celui du rouge à lèvres.

Pourquoi? Au nom du ciel, pourquoi?

Elle revint sur ses pas, remplie d'un sentiment confus fait de désappointement et de soulagement tout à la fois. Elle pressa le bouton de l'ascenseur, les battants coulissèrent, elle pénétra à l'intérieur.

Comment l'aurais-je tuée, de toute façon? se demanda-t-elle tandis que la cabine la ramenait au rez-de-chaussée. Avec mes mains nues?

Quand elle eut quitté l'immeuble et se retrouva dans la nuit, le froid mordant lui fit reprendre ses esprits et elle songea, avec une pointe de joie, que son heure viendrait de toute manière, qu'elle aurait une autre chance d'achever ce qu'elle était venue accomplir. Il le fallait.

Dès que Liz lui eut ouvert la porte, Norma sortit un joint de son sac, l'alluma, absorba une longue bouffée et le tendit à son amie, qui refusa d'un signe de tête.

– Allons, prends-le, ça va te détendre.

– Non, je n'en ai pas envie, dit Liz, visiblement heureuse de voir Norma. (Elle se rendit compte que malgré ses nombreuses connaissances, seule Norma était une véritable amie.) Tu ne sais pas combien cela me fait plaisir de te voir! s'exclama-t-elle.

– Il n'y a pas de quoi, je t'assure, rétorqua gentiment Norma en enlevant son manteau. (Elle s'assit auprès de Liz sur le divan et fuma le joint jusqu'au filtre, après quoi elle l'écrasa proprement dans le cendrier.) Alors, raconte-moi, tu as vraiment vu ce meurtre?

– Oui, vraiment.

– Eh bien, c'est dur.

– C'est plus que dur! Quand tu poireautes tranquillement devant un ascenseur, tu ne t'attends pas à voir un corps sanguinolent à l'intérieur...

Norma fit la grimace, croisa ses longues jambes. Elle comprenait parfaitement qu'une telle expérience ait bouleversé Liz.

– Tu peux décrire la meurtrière?

– C'est difficile à dire... Grande, blonde. Une paire de lunettes noires qui lui cachaient presque tout le visage.

Soudain attentive, Norma se redressa.

– Tu veux savoir la meilleure?

– J'en meurs d'envie...

– Je viens juste de prendre l'ascenseur avec une grande femme blonde.

Pétrifiée, Liz ne détachait pas ses yeux de ceux de son amie.

– Allons, remets-toi, dit Norma. De toute façon, elle n'avait pas de lunettes noires.

– A quel étage est-elle sortie? Tu le sais?

– Tu es vraiment à cran, chérie. Elle est sortie en même temps que moi, à cet étage-ci.

– *Cet* étage?

– Oui.

Liz se mit debout et arpenta la pièce, les mains enfoncées dans les poches de sa robe de chambre.

– Tu te moques de moi...

– Pas du tout. Allons, tu ne vas tout de même pas penser qu'il s'agit de la meurtrière?

– Non..., dit Liz, je ne crois pas que ce serait possible. (Elle sourit faiblement.)

– Evidemment que ce serait impossible! Comment aurait-elle pu te retrouver? Comment saurait-elle que tu habites ici?

– Non, je ne crois pas qu'elle puisse le savoir, dit Liz, pourtant peu convaincue de ce qu'elle avançait. (Assister par le plus grand des hasards à un assassinat est une chose, mais être retrouvée par la criminelle en est une autre, pensa-t-elle. Il lui était rigoureusement impossible de mettre la main sur elle. Cependant, malgré son raisonnement, une sourde inquiétude l'oppressait.) Peux-tu dormir ici ce soir? demanda-t-elle à son amie.

– Je peux dormir n'importe où. J'aimerais bien boire un verre, tu n'aurais pas quelque chose à offrir?

– Un peu de vin. Je dois aussi avoir un fond de scotch. Sers-toi.

Tandis que Norma allait à la cuisine, Liz s'approcha de la fenêtre, mais n'osa pas soulever le rideau et jeter un coup d'œil dans la rue. Elle pensa : Je ne connais personne à cet étage qui ressemble à la description que vient de faire Norma. Cela, après tout, ne voulait peut-être rien dire, surtout dans un immeuble comme celui-ci où les appartements ne sont que des cages anonymes, où les gens entrent et sortent sans cesse. Je suis en sécurité. Je suis parfaitement en sécurité, se répéta-t-elle.

Norma réapparut avec un verre de vin en main. Elle entoura les épaules de Liz.

– N'aie pas peur, il ne va rien arriver.

– Et les flics qui...

– Ecoute ta vieille Norma. Les flics ne peuvent rien prouver contre toi. Ils jouent à leurs petits jeux habituels, tu le sais bien.

– Oui, je suppose que tu dois avoir raison...

– Et comment que j'ai raison. (Elle avait beau essayer de tranquilliser son amie, ses exhortations ne produisaient pas l'effet escompté.) Tiens, je peux dormir sur ce divan, dit-elle pour briser la gêne.

– Tu es sûre que cela ne t'ennuie pas?

– Pour toi, cela ne m'ennuie pas.

Liz s'assit dans le fauteuil posé en face du sofa... et soudain, la scène de l'ascenseur lui revint en un éclair, dans ses plus horribles détails. Blême de peur, elle s'efforça désespérément de refouler ces effrayants souvenirs. Une chose comme celle-là, on ne l'oublie plus.

Elle bondit du fauteuil et serra Norma dans ses bras.

– Merci beaucoup d'être venue, dit-elle.

– Tu trembles...

– Je fais pourtant tout pour ne pas trembler.

– Tu n'aurais pas des somnifères, par hasard?

– Oui, je pense.

– Prends-en un.

– Oui, c'est une bonne idée.

– Ce sont les ordres du médecin, lança Norma en souriant.

Elle se rendit dans la salle de bains, trouva un flacon de Placidyl, avala un cachet et retourna au salon.

Elle attendit le sommeil en priant pour qu'il fût de plomb et dépourvu de rêves.

Assis à sa table de travail, Peter frotta ses yeux rougis par le manque de sommeil, puis regarda le réveil posé près de son lit. D'habitude, il n'accordait pas une attention particulière au temps qui s'écoulait, mais aujourd'hui un étrange sentiment d'urgence le tenaillait, le poussait à ne pas dilapider les heures, les minutes. 3 h 22 du matin. Si tard que ça? pensa-t-il en levant les yeux vers la fenêtre obscure, s'attendant presque à voir poindre l'aube. Il laissa son travail en l'état et alla à la cuisine boire un verre d'eau froide. Insipide, bourrée de calcaire. Du seuil de la cuisine, il vit Mike avachi sur le divan du salon, fixant sans la voir la mire du poste de télévision muet; seules des séries d'arcs-en-ciel passaient automatiquement sur l'écran. Mike était resté muet depuis leur retour du commissariat, et son silence hébété augmentait s'il en était besoin le vide de l'appartement. *Elle* n'est plus là, *elle* ne reviendrait jamais plus...

Jamais. Un mot bien mystérieux, songea Peter. Depuis leur retour, il s'était enfermé dans sa chambre et avait ressorti un vieil album de photographies. Des clichés pris en différentes occasions de sa mère et de son père. Son vrai père. Ce fut comme s'il les voyait pour la première fois. Leurs vêtements semblaient bizarrement vieillis, démodés, et leurs sourires comme perdus dans le soleil, voués à une mort inéluctable. En voyant ces êtres désormais inaccessibles, hors de portée, une douleur intolérable l'étreignit. Jamais plus ses parents ne seraient réunis. A moins qu'il n'y eût quelque chose après la mort; mais en scientifique averti, il rejeta cette idée : il croyait dur comme fer aux formules et aux expérimentations, et quelle expérience pourrait-on entreprendre pour prouver que l'au-delà existe? A l'heure actuelle, il n'en existait pas une seule – et s'il en existait une tout de même, elle n'était pas connue du genre humain. Après avoir longuement passé en revue toutes les photographies, il s'était réfugié dans la salle de bains et, là, seul, avait pleuré toutes les larmes de son corps, bien qu'il fût conscient de l'inutilité d'un tel acte, de l'énergie ainsi dissipée qu'il aurait pu investir dans une tâche plus immédiate.

Il regarda son beau-père et, touché par son chagrin, il eut envie d'aller vers lui, de toucher son épaule, de mettre ses bras autour de son cou. Le choc de cette journée l'avait laissé littéralement effondré.

– Veux-tu quelque chose? dit-il. Un verre d'eau, peut-être?

Mike tourna lentement le visage. La mire tremblota.

– Non... Merci quand même, dit-il d'une voix enrouée.

– Je pensais... (Il s'arrêta, ne sachant plus quoi dire.)

Mike le regardait fixement.

– Merci beaucoup, Peter.

Peter rentra dans sa chambre et contempla d'un œil de connaisseur les appareillages assemblés sur sa table. Il prit délicatement l'appareil photographique et l'oculaire du télescope, vérifia la solidité de la vis qui les maintenait étroitement verrouillés l'un à l'autre; il était certain que le couple ainsi formé ne se déboîterait pas, à moins qu'il ne reçût un choc trop violent. Mais il devait en prendre le risque.

Le système en main, il alla à la fenêtre et regarda dans l'objectif. Tout marchait à la perfection. L'agrandissement de la fenêtre située de l'autre côté de la rue était plus que correct, au point qu'il voyait un aquarium brillamment illuminé derrière les rideaux ainsi que les poissons rouges qui se déplaçaient paresseusement dans l'eau verdâtre. Il se sentit rasséréné et fier du travail accompli. Maintenant, il ne lui restait plus qu'à joindre le moteur électrique à l'ensemble; une fois cela terminé, et les trois pièces soigneusement rangées dans un caisson d'acier, il serait fin prêt. Il ajusta le moteur, régla la prise de vue automatique à soixante secondes. Ce devrait être amplement suffisant, estima-t-il. De toute façon, les résultats dépendraient du seul facteur chance.

Il reposa le tout sur sa table, fixa le moteur électrique à l'appareil photographique au moyen d'un solide fermoir de métal et d'un fil métallique qui partait du moteur vers le déclencheur. Une commande supplémentaire activait le démarreur du film. Il testa enfin le système – la prise de vue assurée à la seconde près. Il chargea alors le film, rangea le tout dans la caisse de métal et cadenassa celle-ci.

Epuisé par des heures de veille et de concentration, il balaya du revers de la main quelques feuillets qui encombraient son lit et s'étendit sur le matelas.

Il savait qu'il ne dormirait pas.

Trop d'émotions se bousculaient dans sa tête pour qu'il pût trouver le sommeil.

Pour la centième fois, la conversation entre Marino et Elliott lui revint à l'esprit avec les tons différents, les inflexions, les silences, les mots employés...

Puis l'image de sa mère chassa la conversation, et une mélancolie profonde s'abattit sur lui, aussi envoûtante et tenace que son désir de justice.

Marino poussa un grognement. Il avait dû s'endormir peu de temps après avoir appelé sa femme pour lui annoncer aussi prudemment que possible qu'il ne fallait pas compter sur lui pour ce soir – un message qu'elle avait entendu bien trop souvent. La sonnerie du téléphone le tira sans ménagement de sa somnolence. Il bâilla et tendit le bras vers l'écouteur tout en remarquant du coin de l'œil les tickets d'entrée au match de football glissés sous un dossier. (Il avait pourtant promis à ses gosses de les y emmener, mais qu'y pouvait-il si le monde était fait de promesses non tenues?)

– Lieutenant. C'est Betty Luce.

– Oui. Alors?

– Je me trouve à l'extérieur de l'appartement, dit la femme.

– Et alors? fit-il d'une voix bourrue. (Betty Luce devait le trouver bien grincheux, mais il détestait par-dessus tout se réveiller en sursaut.)

– Tout est tranquille.

– Ah, très bien...

– Je ne l'ai pas vue sortir. Elle est toujours à l'intérieur.

Marino ramassa les tickets.

– Avez-vous pris un peu de repos?

– Oui, il y a deux heures, dit la femme. Pour boire un café.

Humain, trop humain, pensa l'inspecteur. Il rêvait parfois de pouvoir disposer de robots; de telles machines n'éprouveraient pas le besoin d'avaler en vitesse une tasse de café ou un sandwich, ou même de s'endormir.

– Il y avait de la lumière dans l'appartement lorsque je suis allée boire mon café, reprit Betty

Luce. Depuis cinq minutes environ, tout est obscur là-haut. Je l'ai aussi appelée pour être sûr qu'elle était bien chez elle, et j'ai coupé la communication dès qu'elle a décroché le téléphone...

– Bonne idée. Je vous ferai relever aussitôt que possible.

– D'accord, lieutenant.

Marino raccrocha, puis se leva en bougonnant et marcha de long en large pour se tenir éveillé. Il avait déjà une longue nuit derrière lui, et une journée tout aussi longue et harassante l'attendait.

Elle ôta le soutien-gorge rembourré.

Elle le jeta par terre.

Elle défit la fermeture de sa jupe, laissa glisser celle-ci le long de ses jambes et fit un pas de côté.

Elle enleva son slip de soie et le repoussa avec son pied.

Elle demeura nue au milieu de la pièce.

Elle regarda le téléphone. La vue de l'appareil la déprima. Parce qu'il lui faisait penser à Elliott.

Elle ne voulait pas songer à lui.

Elle ramassa ses vêtements et les rangea dans un placard.

Elle ressentit une douleur lancinante entre les jambes.

Elle baissa la main et toucha son sexe.

Une foule de souvenirs affluèrent; c'était comme une bande de vautours noirs qui assombrissait le ciel autour d'elle.

Pourquoi n'as-tu pas rattrapé le ballon?

Tu n'aimes pas ce jeu? C'est trop grossier pour toi, trop rude?

La bouche entrouverte, elle ne sut quoi dire. Sa

langue lui parut gonflée et lourde, inerte presque. C'était l'automne quelque part, il y avait un terrain de jeu, des garçons criaient en se poursuivant les uns les autres. Des corbeaux freux, effrayés par le tumulte, quittaient lourdement les arbres sur lesquels ils étaient perchés et s'envolaient dans la direction du soleil. On eût cru que le désastre imminent s'inscrivait dans le ciel.

Trop grossier pour toi, hein?

Hostiles et groupés autour d'elle, ils la fixaient tous du regard. Leurs petits visages mesquins dans les vestiaires. De l'eau coulait d'un robinet, ou dans une douche. Quelqu'un sifflait. Un autre s'aspergea d'eau. Elle voulait qu'ils cessent de la regarder ainsi, elle n'avait rien fait de mal.

Elle enleva la main d'entre ses jambes.

Elle entendit une voix impérative, celle d'une femme au verbe haut, le genre de voix habituée à donner des ordres et à être obéie. Sa mère. Tu comprends, il y a des choses qu'il t'est interdit de faire... certaines choses qui ne sont tout simplement *pas à faire.*

Je n'ai rien fait de mal.

Ta sœur m'a dit qu'elle t'avait...

Avait quoi?

Que tu jouais... comment dire... d'une certaine façon?

Ce n'est pas vrai.

J'ai bien peur que ce soit vrai, au contraire.

Ma sœur est une menteuse.

Je ne crois pas...

Oui, elle l'est! Elle l'est! C'est une menteuse!

Oh, à peine...

Elle alla dans la salle de bains.

Elle se regarda dans la glace.

Elle se souvint de la douce sensation procurée par le taffetas contre sa peau, de l'épaisseur des vêtements qu'elle portait et du sentiment abominable qu'elle était emprisonnée dans sa propre chair, prise au piège.

Miroir, miroir.

Réponds-moi.

Désolant silence.

Une douleur cuisante.

Elle s'approcha de la glace. Suffisamment près pour apercevoir des rides sous le maquillage; suffisamment près pour distinguer les pores et la marque du temps. Alors elle s'écarta promptement et ferma les yeux.

Tout ce que tu devais faire, Elliott, c'était d'accorder ton autorisation.

Une petite chose de rien du tout. Ta signature. Ton aval.

L'opération.

Mais tu n'as pas voulu. Tu as refusé parce que tu ignores l'enfer de cette sorte de piège. Tu n'arrives tout simplement pas à imaginer...

Je tuerai encore, se dit-elle. *Et tu sauras que c'est encore moi qui ai frappé.*

Des larmes coulèrent le long de ses joues, traçant de minces sillons sur le maquillage, de fins ruisseaux d'amertume. Malgré ses efforts, elle ne put les refouler. Un souvenir vieux de quelques mois passa en un éclair dans son esprit; le souvenir d'un autre rasoir qu'elle avait tenu entre ses mains, et qu'elle avait abattu dans l'entrejambe...

Elle quitta la salle de bains, prit le téléphone :

– Aidez-moi, Levy. Vous *devez* m'aider!

Elle reposa le téléphone.

Elle leva la main, la regarda dessiner un arc de

cercle dans l'air et atteindre son sexe, puis se plaquer durement sur la couche de gaze qui recouvrait son pénis.

Comme brûlée par ce contact, elle retira vivement sa main : c'était un cauchemar trop ancien, trop familier, dont elle ne voyait plus la fin.

5

C'était cette heure du matin où la ville, parce qu'encore déserte, a un air de propreté – et de tranquillité sereine – qu'on ne lui connaît pas; où les rues vides et l'absence de foule évoquent irrésistiblement une cité ravagée par une attaque nucléaire et pétrifiée dans ses derniers instants. Une bombe à neutrons pourrait donner ce genre de résultat, se dit Peter; une arme sophistiquée qui décime les habitants sans endommager les constructions. Il conduisait sa bicyclette avec insouciance, brûlait les feux rouges sans y prêter la moindre attention, le cœur gonflé d'excitation. Même les immenses gratte-ciel, lassés peut-être d'égratigner les cieux, semblaient s'être quelque peu rabougris dans la clarté de l'aube naissante. Il pédalait dur, le visage fouetté par une brise fraîche, et les magasins, encore fermés à cette heure, défilaient à toute vitesse sous ses yeux.

Il parvint enfin, au bout d'une longue course, dans la rue où se trouvait le bureau d'Elliott, ralentit, sortit la carte que lui avait donnée le psychiatre et vérifia une dernière fois l'adresse exacte. Il roula à petite allure jusqu'au numéro qu'il recherchait, passa devant les marches qui menaient à la lourde porte de bois, puis traversa la chaussée et s'arrêta auprès d'un panneau « Stationnement interdit ». Il tira un cadenas de sa veste et verrouilla la bicyclette au poteau. Tout en s'affairant, il jetait des regards furtifs vers l'entrée du bureau d'Elliott, mais aucun signe de vie, aucune présence ne s'y manifestait. Il ne put s'empêcher de songer à sa mère descendant ces mêmes marches, la veille. La veille! Hier! Si proche encore, et déjà si lointain... une éternité. Un temps subjectif mesuré par une montre psychologique.

Il ouvrit la caisse de métal posée sur le porte-bagages, vérifia que le télescope ne s'était pas détaché de l'appareil photographique et que le moteur électrique fonctionnait normalement. Il le mit en marche, l'entendit ronronner doucement; alors il positionna correctement l'objectif devant une petite ouverture pratiquée dans la caisse. Et si certains impondérables réduisaient à néant tout ce travail? se demanda-t-il avec inquiétude. Quelqu'un pouvait donner un coup de pied dans la caisse, ou la voler, et tout son plan serait fichu; il pouvait aussi avoir mal calculé le temps entre deux prises de vue. Dans ce cas, il obtiendrait une magnifique série de photographies d'une porte close. Tant pis, tu dois prendre ce risque, se dit-il. Il referma le couvercle de métal, remit le cadenas en place. Tout était désormais en ordre de marche.

Laissant la bicyclette – et son chargement – appuyée contre le poteau, il s'en alla à pied en jetant de temps à autre un coup d'œil par-dessus son épaule. Aucune lumière ne traversait la fenêtre du bureau d'Elliott; seules les premières lueurs de l'aube jetaient des éclairs sur la plaque de cuivre de l'entrée.

Il frissonna. Tout à son travail, il ne s'était pas rendu compte de la fraîcheur de l'air. Plus tard, il reviendrait chercher sa bicyclette et voir ce que son film aurait enregistré.

Elliott s'éveilla, le corps moulu, et les membres pesants. Il grogna plusieurs fois, s'étira, puis alla d'un pas traînant vers la salle de bains se passer de l'eau sur le visage. L'eau froide suffit à lui éclaircir l'esprit. Muni d'une serviette-éponge, il revint à son bureau. Sa montre indiquait 8h 5 du matin. Il fit une grimace; ce n'était pas son habitude de se lever si tard. Puis il se souvint qu'il avait avalé un somnifère la veille, ce qui expliquait aussi cette nausée qu'il ressentait au fond de la gorge. Il ouvrit les rideaux. La lumière du jour pénétra à flots dans la pièce, l'obligeant à cligner des yeux. Il remit sa chemise et son pantalon, après quoi il vérifia l'enregistrement du répondeur téléphonique. Aucun message ne lui avait été laissé, ni de Bobbi ni de personne. Pourquoi n'appelait-elle pas? Patience, tôt ou tard, elle le ferait... Mais il ne voulait surtout pas songer à elle maintenant. Il feuilleta son livre de rendez-vous et, soudain, la sonnerie de la porte d'entrée troua le silence qui régnait dans la maison. Ce doit être le facteur, pensa-t-il. Il traversa la salle d'attente, puis le vestibule, et retira la chaîne qui fermait la porte.

Ce n'était pas le facteur.

C'était Anne, sa femme.

Surpris par cette apparition, il resta en travers du seuil.

– Ai-je l'autorisation d'entrer, chéri?

– Naturellement, je...

– Surpris de me voir, j'imagine...

Il s'écarta pour lui livrer passage. Elle avança nonchalamment, les mains enfoncées dans les poches de sa tunique. Elliott, qui ne laissait rien échapper, remarqua d'un coup d'œil les pièces de cuir cousues aux coudes, le pantalon bouffant en flanelle, les chaussures passées de mode. Une odeur d'alcool, de gin, traînait dans son sillage. Il l'accompagna jusqu'à son bureau, et la présence de sa femme dans ce lieu lui sembla extraordinairement incongrue. Il comprit – s'il en était besoin – que cet endroit constituait à ses yeux un territoire secret, une partie de sa vie qu'il ne voulait pour rien au monde partager avec elle.

– Je me suis levée très tôt et j'ai sauté dans l'un des premiers trains, expliqua-t-elle en jetant un regard circulaire dans la pièce. (Puis, apercevant sa photographie dans l'encadrement posé sur le bureau, elle la saisit et la contempla d'un air visiblement dégoûté. Elle la remit en place et se tourna vers son mari.) Tu ne sembles pas avoir beaucoup dormi cette nuit, mon chéri...

– Est-ce que tu insinues quelque chose? (Puis il poussa un soupir de lassitude : tout ce qu'il demandait, c'était le calme et la paix de l'esprit. Il n'avait vraiment pas envie de commencer cette journée par une scène avec Anne.)

Elle secoua la tête d'un air navré et fit quelques pas dans la pièce, lisant au hasard un titre de livre ou effleurant du bout des doigts les meubles fermés à double tour. Elliott sentit l'électricité dans l'air, une rage destructive qui montait et allait éclater incessamment. Il n'eût pas été surpris de la voir jeter à terre les piles de livres et de renverser tel ou tel objet.

– Le voyage a été assez agréable, reprit-elle avec

un sourire contraint. Ils servent même des boissons alcoolisées... et bien évidemment j'en ai profité pour prendre un verre.

– Evidemment.

Elle s'appuya contre le bureau et montra le divan d'un petit mouvement du menton.

– C'est là que s'allongent tes soi-disant patients? Ils s'allongent là-dessus et te racontent vraiment leurs misérables petits secrets? Ils te font donc confiance à ce point, cher?

– Cela leur arrive quelquefois, répondit-il en nouant sa cravate nerveusement. Pourquoi es-tu venue ici, Anne?

– Je n'arrivais pas à trouver le sommeil. Alors... disons que j'avais du temps à perdre. Je me suis dit.. eh bien, pourquoi ne descendrais-tu pas en ville voir ce que devient ton cher mari?

Elle retourna vers la bibliothèque, prit un livre et le compulsa distraitement. Soudain, elle éclata de rire; Elliott la regarda sans comprendre, mais il décela dans son rire quelque chose de forcé, d'hystérique.

– Est-ce que tu lis vraiment tout ce fatras? demanda-t-elle.

– J'essaie de me tenir au courant, dit-il.

– Tu essaies de te tenir au courant... Je comprends. *Le traitement de la psychose schizophrénique par la thérapie analytique directe.* Que diable signifie ce jargon?

Elliott croisa les bras sans mot dire; il connaissait trop bien ces sautes d'humeur pour les avoir souvent vécues. Il détestait chez sa femme cette aigreur mêlée de sauvagerie.

Elle replaça le livre sur l'étagère et fit mine de s'intéresser aux autres ouvrages.

– Il n'y en a pas un sur la question du mariage, cher? Pas un seul manuel sur la manière de sauver le couple?

Il garda le silence.

– Va te faire foutre! s'écria Anne. Tu m'abandonnes dans cette affreuse maison, tu ne t'inquiètes même pas... (Elle suspendit sa phrase, les lèvres tremblantes, les yeux mouillés de larmes.)

Emu par cette scène, il faillit aller vers elle, la prendre dans ses bras pour repousser l'inéluctable, pour ne pas apprendre de sa bouche que leur mariage avait lamentablement échoué. Mais les dés étaient jetés depuis fort longtemps et il n'y avait rien qu'il pût faire aujourd'hui pour redresser la situation.

– Aujourd'hui est le grand jour, dit-elle en ravalant ses larmes.

– Que veux-tu dire?

– Dois-je moi aussi m'allonger sur ce divan et te laisser m'analyser?

– Anne, je t'en prie... De quoi parles-tu?

– J'ai pris rendez-vous avec Burbage...

– Burbage? Pourquoi?

– C'est l'avocat de la famille, non?

– Si je comprends bien, je n'ai pas besoin de te demander pourquoi tu as pris cette initiative, n'est-ce pas?

– C'est exact, mon cher, les questions seraient parfaitement superflues dans les circonstances actuelles. La réponse est évidente.

– Je ne peux même pas te prier de reconsidérer la question?

Elle s'esclaffa.

– Si nous étions honnêtes l'un envers l'autre, si nous ne cherchions plus à nous masquer la réalité, nous comprendrions aisément que notre mariage est virtuellement mort... Et une nouvelle greffe serait totalement inutile.

Durant un instant, il ne sut trop quoi penser, quoi ressentir. Il y eut bien au fond de lui – fugitive et voilée – une pointe de soulagement, mais aussi, et plus gravement, la conscience d'un échec irrémédiable, d'une déception cuisante. Leur mariage débouchait sur le vide et il n'avait pas été capable de prévenir ce désastre.

– Tu recevras les papiers en temps utile, dit-elle froidement. Et s'il me faut invoquer des griefs, j'en ai un tas à ta disposition.

Il baissa les yeux, jouant du bout du pied avec le tapis.

– Sais-tu quand nous avons pour la dernière fois... (Elle rit nerveusement.) Sais-tu quand nous avons eu des relations conjugales pour la dernière fois, mon amour ?

– Je ne tiens pas de calendrier.

– Ah, moi par contre j'ai un minuscule compteur dans la tête. Il enregistre, il enregistre... Si tu veux des précisions, il y a près de neuf mois, mon cher. Pas moins. C'est beaucoup. Même en étant chaste, c'est contraire au bon sens. Tu ne me laisses vraiment aucun choix, chéri.

Chéri. Quelle froideur, quelle animosité elle était capable de mettre dans ce mot ! Dans la luminosité matinale, le visage de sa femme paraissait gonflé et pâle, et des cernes très prononcés enlaidissaient ses traits.

– Quoi qu'il en soit, j'ai jugé bon de passer te voir pour t'annoncer ma décision. Ainsi, lorsque tu recevras les papiers, cela ne te fera pas un choc.

Elle souleva le cadre contenant sa photographie

et le brisa contre le coin du bureau. Des éclats de verre fusèrent dans tous les coins de la pièce.

– Je ne crois pas que tu aies encore besoin de ceci. Maintenant que je divorce.

Les morceaux de verre éparpillés sur le tapis brillaient comme des petits diamants de pacotille.

Anne se dirigea vers la porte et, juste avant de la refermer derrière elle, dit par-dessus son épaule :

– Inutile de te déranger, je saurai trouver mon chemin toute seule.

Après qu'elle eut claqué la porte d'entrée, il se mit à genoux et ramassa les fragments de verre.

La sonnerie du téléphone le surprit dans cette posture. Il fut si étonné qu'un éclat de verre pénétra dans un doigt, juste sous la peau. Il prit vivement le récepteur en espérant que ce fût Bobbi.

– Docteur Elliott?

Il reconnut aussitôt la voix de la femme; c'était celle d'une de ses patientes, Evelyn Hunt, une richissime milliardaire qui vivait en permanence au *Waldorf Towers* et dont le principal problème dans la vie tournait autour de son immense fortune et de la culpabilité qui en découlait. Sa névrose consistait à collectionner des photographies d'actrocités commises au Cambodge, de réfugiés vietnamiens ou de corps brûlés au napalm sur les hauts plateaux d'Abyssinie. Dernièrement son intérêt s'était porté sur l'Angola.

– Pourriez-vous m'accorder un entretien aujourd'hui, à l'heure que vous voudrez? demanda-t-elle.

– Je pense que c'est possible, dit-il en consultant son agenda. Je dispose de trente minutes entre 11h 15 et 11h 45, madame Hunt.

Il y eut un silence à l'autre bout du fil, puis la femme dit :

– Vous savez, docteur, je suis assez bouleversée... Mon chien est mort cette nuit. Vous vous souvenez de Patrick?

– Oh, chère...

– Et pas plus tard que ce matin, j'ai appris que l'enfant brésilien que je parrainais, Roseanna, souffre de malaria.

– Je suis sûr que nous pourrons nous entretenir de cela en toute tranquillité, dit-il en essayant de donner à sa voix une chaleur qu'il n'éprouvait pas.

Il prit une feuille de papier et inscrivit le mot Tranxène, le seul remède capable d'assurer un semblant d'équilibre à l'existence d'Evelyn Hunt.

– Merci beaucoup, docteur Elliott.

– Je vous en prie, cela ne pose aucun problème. Je vous attends à 11h15, madame Hunt.

Il reposa le téléphone et demeura immobile, les yeux dans le vague, songeant à la visite d'Anne. Peut-être, après tout, avait-elle raison de demander le divorce; cela ne rimait à rien de tenter de ranimer leur amour. Il exhala un soupir. Cette défaite supplémentaire ne pouvait qu'assombrir un peu plus sa vie, mais il avait pour le moment des problèmes bien plus urgents en tête. Il prit le bout de papier sur lequel il avait inscrit le numéro de téléphone du Dr Levy, puis jeta un bref coup d'œil sur sa montre. Il était encore bien trop tôt pour l'appeler; il plia délicatement le feuillet et le glissa sous le presse-papiers en onyx qu'Anne lui avait offert. Ce cadeau remontait au temps où les faux-semblants du mariage masquaient encore le vide qui les séparait.

Au réveil, Liz trouva l'appartement vide. Norma était partie sur la pointe des pieds. Liz quitta son lit et trébucha. Ses membres lui pesaient et son esprit avait du mal à sortir de sa léthargie. Elle trouva un mot de Norma sur la table de la cuisine, rédigé d'une écriture élancée, toute en rondeurs et déliés.

Ton divan est inconfortable et j'ai vraiment mal dormi, mais aucun spectre de femme ne s'est présenté. Un gars de Cleveland t'attend à 19 h 30 précises au Parkway Hotel, chambre 234. Ton amicale protectrice Norma.

Merde, pesta Liz en reposant le bout de papier. Elle aurait voulu le déchirer et le jeter dans le vide-ordures. 7 h 30. Comment pourrait-elle s'envoyer en l'air en un pareil moment? Elle songea à appeler Norma pour se décommander... Nom d'un chien, as-tu besoin ou non de cet argent? Si oui, alors va au rendez-vous. A demi ensommeillée, elle se dirigea vers le téléphone et composa le numéro de Max.

– J'attendais impatiemment ton appel, dit Max.

– Me croiras-tu si je te dis que j'avais des problèmes à régler?

– Je croirais n'importe quoi venant de toi, rétorqua Max. Oh, un moment, veux-tu, j'ai quelqu'un sur l'autre ligne.

– Bon sang, Max...! Je suis la première en ligne, non?

Max poussa un soupir, un véritable bruit de forge.

– C'est bon... Ecoute, je croyais que tu devais m'apporter mille dollars, non?

– Comme je te le disais, j'ai été retenue. Quand

t'ai-je jamais fait faux bond, Max? Je t'ai toujours remboursé rubis sur l'ongle.

– C'est vrai, mais il y a un commencement à tout.

– Pas avec moi, mon chou.

– Bon, passons aux choses sérieuses. Ton Auto-Tron a grimpé à 15.68. Le type qui t'a donné ce tuyau me paraît très bien informé, ma petite.

Liz prit dans un tiroir sa petite calculatrice. Elle frappa les touches un instant puis, satisfaite, elle dit à Max :

– Peux-tu m'acheter quelques actions supplémentaires?

– Encore?

– Oui, encore.

Elle entendit un froissement de papiers à l'autre bout du fil, une lointaine sonnerie de téléphone, puis la voix de stentor de Max.

– Combien en veux-tu cette fois-ci?

– Cinq autres billets.

– Veux-tu être plus explicite? C'est comme cela que tu parles dans la rue? Je suppose que cela veut dire cinq cents dollars?

– Oui. Je t'apporte l'argent aujourd'hui même.

– Avant la fermeture.

– Avant la fermeture, sois tranquille.

– Les bulles ont l'habitude de crever en remontant, Liz...

– C'est exact, mais j'ai dans l'idée que celle-ci va flotter plus longtemps. Nous en discuterons plus tard, d'accord?

– Attends une seconde. Que se passe-t-il? J'attendais ton coup de téléphone bien avant.

– Si je te le disais, mon cher Max, tu ne me croirais pas de toute façon.

– Allons... J'adore les contes de fées, les fables et les récits d'aventure.

– Ce que je pourrais te raconter n'appartient à aucune de ces catégories.

– Puisque tu le dis...

– A plus tard, Max. (Elle raccrocha.)

Rendez-vous avec un gars de Cleveland à 7h30. Cette passe lui procurera juste le complément nécessaire pour rembourser Max. Elle se demanda avec une pointe d'anxiété si sa chance allait durer encore bien longtemps, si le marché boursier ne risquait pas de s'effondrer d'un jour à l'autre, la laissant tout bonnement sur la paille. Lasse de se poser des questions oiseuses, elle téléphona à sa banque. Elle communiqua à la préposée son nom et le numéro de son compte en banque, et apprit de sa bouche qu'elle disposait de plus de sept mille dollars sur son compte courant et d'une épargne légèrement inférieure à quinze mille cinq cents dollars. Elle possédait par ailleurs un compte bloqué d'un montant de dix mille dollars à 11,7% d'intérêts annuels. Elle se servit une nouvelle fois de sa calculatrice et les résultats apparurent sur l'écran aussitôt. Sauf accident – Marino l'inculpant par exemple d'homicide –, elle pourrait bientôt quitter ce petit jeu avec environ 60000 dollars en biens réalisables, ce qui était amplement suffisant pour tourner la page et se lancer dans une nouvelle vie.

Elle se prépara du café, regarda l'heure à l'horloge – midi venait de sonner –, puis s'assit à la table en avalant lentement le liquide noirâtre. A l'instant où elle allumait sa première cigarette de la journée, trois petits coups frappés à la porte d'entrée la firent sursauter; le cœur battant, elle serra la ceinture de son peignoir et alla en catimini regarder à travers l'œilleton. Portant un léger imperméable, Marino se tenait face à la porte, immobile.

– Quand on parle du loup..., dit-elle en lui livrant passage.

– C'est de moi que vous parlez?

– Mais oui! J'étais justement en train de penser à vous.

– Désagréablement, j'espère.

– Croyez-moi, lieutenant, mes pensées n'étaient pas spécialement gentilles à votre égard. (Elle le précéda vers la cuisine.)

– Ça sent bon le café frais, dit l'inspecteur en humant l'air avec ravissement.

– Servez-vous, dit Liz qui s'assit à sa place habituelle et écrasa sa cigarette.

Il ne se fit pas prier; après quoi, muni d'un verre plein, il s'adossa tranquillement au Frigidaire et l'observa.

– Je vois que les affaires marchent, Liz...

Elle le regarda sans comprendre où il voulait en venir.

– Je veux dire, louer toute seule un appartement comme celui-ci n'est pas à la portée du premier venu. (Il émit un sifflement qui devait passer pour de l'admiration, puis se gratta le menton.)

– Je travaille dur.

– Et les dollars s'amassent, hein?

Liz alluma une nouvelle cigarette en maudissant ce flic qui venait l'importuner chez elle.

– Quelle est la raison de votre visite? Vous vous faites du souci pour moi ou vous avez apporté les menottes?

Le policier sourit et caressa sa moustache.

– Je vous ai prévenue que je vous tiendrais à l'œil, non?

– Oui, je comprends. Vous ne voulez pas perdre votre principal suspect.

Il but une gorgée de café et fit la grimace. Il alla s'asseoir à l'autre bout de la table puis bâilla sans aucune gêne.

– Vous figurez en effet en bonne place sur ma liste, madame.

– Il ne vous manque plus que le mobile pour me coffrer, c'est cela?

– Un mobile que je pourrais imaginer dans mon sommeil... Ce café a un vrai goût de mazout.

– Veuillez me pardonner. Je vous en préparerai un meilleur si vous avez le temps, monsieur.

– Laissez tomber les sarcasmes, Liz, dit-il en posant sa tasse. Je suis bien trop fatigué pour cela.

– Combien de fois devrai-je vous répéter que je n'ai pas tué cette femme?

– Allons, doucement... Je suis venu ici en ami et qu'est-ce que je reçois en retour? Des moqueries, des sarcasmes. La vie d'un policier n'est pas toujours rose, vous savez?

– Ami? s'étonna Liz. Je me passe de votre amitié, figurez-vous. Les choses s'arrangeraient infiniment mieux si vous me croyiez.

Marino sourit placidement et avança la main vers le mot laissé par Norma. Prise de court, Liz voulut le saisir avant lui, mais Marino fut le plus rapide. Il se renversa confortablement contre le dossier de sa chaise avec un soupir d'aise, lut le billet et secoua la tête tristement.

– Savez-vous que ceci est parfaitement illégal, Liz?

Elle ne dit rien.

– 7h 30 au *Parkway Hotel.* Un gentleman de Cleveland. Je présume que vous n'y allez pas pour une partie de poker...

– Il s'agit d'une correspondance privée, lieutenant.

Marino remit le papier où il l'avait trouvé.

– Je ne sens pas... – comment dire? – l'accent de la vérité dans vos paroles.

– Croyez ce que vous voudrez, répondit-elle. Si vous voulez avoir un entretien avec moi, lieutenant, je préférerais que cela se fasse en présence de mon avocat.

– Un avocat? Je vous ai dit qu'il s'agissait d'une visite amicale.

– Selon vous...

– Je ne fais que mon devoir, Liz. Je voulais m'assurer personnellement que vous étiez toujours dans les parages. Certaines personnes ont la mauvaise habitude de disparaître dans la nature précisément quand il leur est demandé avec insistance de demeurer en ville. Je ne vous apprends rien. Que voulez-vous? C'est déraisonnable, mais cela se fait. (Il enfonça les mains dans les poches de son imperméable et ajouta :) Bref, comme je vous le disais tout à l'heure, vous demeurez le suspect *numéro un* sur ma liste. Et à moins qu'un fait nouveau ne se présente, ma petite, je me verrai certainement dans l'obligation de vous boucler.

Liz écouta sa tirade en serrant les dents de colère. Quel jeu jouait-il, bon sang? Elle mourait d'envie de lui lancer au visage : Alors bouclez-moi et finissons-en avec cette histoire! Mais elle avait le sentiment qu'il ne fallait pas prendre son bluff à la légère, qu'il ne fallait surtout pas le provoquer. Elle but une gorgée de café et garda prudemment le silence. Marino tambourina sur la table et dit :

– Je dois vous prévenir honnêtement, Liz. Si un fait nouveau ne survient pas très vite, il me faudra prendre une décision concernant votre avenir, qui pour l'instant ne me paraît pas brillant. Ce serait dommage. Je vous aime bien, d'une certaine façon.

L'idée qu'il pourrait désirer fricoter avec elle traversa l'esprit de Liz, mais elle rejeta aussitôt cette éventualité. Cet homme, ça crevait les yeux, ne mangeait pas de ce pain-là; il sentait son père de famille à dix mètres à la ronde. Elle le regarda tandis qu'il bâillait à se décrocher la mâchoire.

– Enfin, je suis content de voir que vous ne vous êtes pas sauvée. Ne faites pas de bêtises, d'accord?

– N'ayez crainte.

– Vous feriez mieux, insista-t-il en pointant l'index sur elle. (Il se leva. Sur le pas de la porte, il se retourna, le sourire aux lèvres :) Soit vous utilisez trop de café, soit celui-ci est de mauvaise qualité. Essayez donc le café français grillé, la prochaine fois. Ou l'*espresso*. Vous obtiendrez de meilleurs résultats.

– Merci pour le conseil.

– J'ai d'autres tuyaux domestiques à vous refiler... à l'occasion. Portez-vous bien et prenez garde.

Elle demeura à sa place et entendit la porte d'entrée claquer durement. Prenez garde, avait-il dit.

Le brusque silence de l'appartement réveilla ses frayeurs. Pourquoi le téléphone ne sonne-t-il pas, au nom du ciel? Pourquoi le réfrigérateur ne ronronne-t-il pas, le robinet ne coule-t-il pas? Elle aurait donné cher pour qu'un bruit quelconque vînt troubler ce calme profond. Pour tromper sa nervosité, elle alla à la fenêtre. La minuscule silhouette de Marino traversa la rue et s'engouffra dans une voiture qui démarra aussitôt.

Un peu plus loin, à l'intérieur d'une voiture garée contre le trottoir, une femme blonde confortablement assise au volant, la tête calée contre le dossier de la banquette, épiait les alentours. Les yeux rivés sur la rue et les passants, elle bâilla plusieurs fois en couvrant sa bouche avec ses mains. Elle jeta une fois de plus un coup d'œil vers l'entrée de l'immeuble, puis inclina le rétroviseur de son côté. Elle scruta avec tristesse ses yeux bouffis de fatigue et les cernes sombres qui trahissaient le manque de sommeil.

Le patient était un jeune homme qui avait récemment attenté à ses jours en se tailladant férocement les aisselles avec un couteau de boucher. Cette tentative, comprit Elliott au bout de quelques secondes, concrétisait la haine qu'il vouait à sa mère. Une revanche comme une autre. En termes strictement freudiens, le cas était classique et aisément définissable. Il venait chez lui depuis quelques semaines, chaque entretien donnant lieu à des propos de plus en plus véhéments contre sa mère. Profondément enfoncé dans son fauteuil à bascule, les doigts croisés sous son menton, Elliott écoutait en silence les griefs de son patient. Il avait appris avec l'expérience à ne relever que les phrases clefs; son esprit en éveil triait et rejetait les tirades inutiles. C'est ce qu'il faisait à l'instant, hochant la tête de temps à autre ou effleurant du bout des doigts le presse-papiers en onyx, bien qu'il eût parfois envie de briser le monologue de l'analysé en lui disant froidement : Vous me cassez les pieds avec vos problèmes... Que diriez-vous si je vous racontais quelques-uns des miens...? Mais il comprenait trop bien que s'il n'offrait pas à ses patients une image d'infaillibilité, sa valeur à leurs yeux s'effondrerait d'une façon radicale. Aussi, les paupières à demi closes, il enregistrait sans faiblir le débit monotone du jeune homme...

– Elle voulait une fille, pas un garçon.

(Ma femme vient juste de m'annoncer qu'elle divorce. Cela vous intéresserait-il de le savoir?) Il hocha le menton d'un air compréhensif.

– ... Un jour, je me souviens, elle attacha un ruban dans mes cheveux. Vous voyez un peu le tableau; j'avais à peu près six ans à l'époque... oui, six, ou peut-être sept ans, et elle laissait pousser mes cheveux en longues boucles. Je ne savais plus si j'étais une fille ou un garçon ou quoi! (Elliott lui sourit avec sympathie.) Le grand choc, continua le jeune homme, survint lorsque j'ai commencé à aller à l'école... Je veux dire, vous pouvez imaginer de quels noms ils m'ont traité là-bas, non?

(Le divorce. Que ce mot sonnait creux et affreusement définitif.) Il regarda le patient qui tiraillait nerveusement un trombone entre ses doigts avant de le jeter dans un cendrier, lassé de ce jeu.

– Ils disaient que j'étais une foutue poule mouillée, que je ne pouvais pas faire ceci ou cela comme tout le monde, et toutes ces brimades à cause de ma salope de mère qui ne me permettait pas d'être ce que je voulais être, c'est-à-dire un mâle, c'est-à-dire ce que la nature a voulu que je sois...

– Quand votre père est-il mort? demanda Elliott.

– Avant ma naissance, répondit le jeune homme qui essuya du revers de la main son front luisant de sueur.

– Que vous a raconté votre mère à son sujet?

– Vous voulez le savoir mot pour mot?

Elliott opina de la tête.

– Elle disait qu'il était comme un chien en chaleur, qu'il ne pouvait pas s'empêcher de baiser chaque femme qui passait à sa portée. Elle répétait qu'elle voulait être sûre que je ne suive pas le même chemin.

– Mais aujourd'hui, vous n'avez plus de doute concernant votre sexe, n'est-ce pas?

Le jeune homme haussa les épaules.

– Franchement, quelquefois je ne sais plus où j'en suis. Et je pense alors avec terreur que je ne me sentirai bien qu'après *sa* mort.

– Avez-vous envie de la tuer?

– Ça m'a traversé l'esprit, oui. Mais je ne le ferai pas.

Elliot se pencha en avant, les coudes posés sur le bureau.

– En tentant de vous suicider, n'était-ce pas *vraiment* une façon de tuer votre mère?

– Euh... c'est possible.

– Donc, si je comprends bien, ce n'était pas vous personnellement que vous désiriez détruire?

Le jeune homme sembla se décomposer. Elliott poursuivit sans lui laisser le temps de souffler.

– Vous vouliez la tuer, du moins dans votre esprit. Si vous aviez réussi votre suicide, n'aurait-elle pas été hantée de remords? (Il songea brusquement à Anne. N'aurait-elle pas par hasard, elle aussi, une tendance au suicide? Etait-elle capable de mettre fin à ses jours afin qu'il se sentît, lui Elliott, coupable?)

– Oui, peut-être bien. Je désirais lui faire très mal.

Elliott le regarda un instant, puis ses yeux errèrent sur le mur, derrière le patient. La lumière de ce début d'après-midi ricochait sur les cadres des tableaux, faisant de ceux-ci des rectangles brillants et glacés.

– Avez-vous encore envie de lui faire du mal?

– Je l'ignore.

– Pensez-vous que je devrais lui parler?

– Je ne pense pas qu'elle accepterait de vous parler, rectifia le jeune homme avec un sourire. (Il arrangea une mèche qui tombait sur son front.) Elle affirme que les psychiatres sont des poisons, ajouta-t-il.

– Des poisons? s'exclama Elliott en riant de bon cœur. Vous savez, on nous traite de tous les noms. Vous n'habitez plus chez elle, maintenant?

– Non, j'ai loué une chambre. Elle ne coûte pas grand-chose.

– Sait-elle où vous trouver?

– Elle trouvera. Elle finit toujours par trouver...

La sonnerie du téléphone interrompit leur conversation.

– Excusez-moi, dit Elliott en soulevant le récepteur.

– Docteur Elliott? Ici George Levy. Vous m'avez laissé un message disant que vous désiriez me voir?

– C'est exact...

– Pouvez-vous me donner une idée de ce que vous voulez?

– Cela concerne l'une de mes patientes. Une ancienne patiente à vrai dire. Il est impératif que je discute avec vous le plus tôt possible. Je suis en consultation pour le moment; puis-je vous rappeler incessamment ?

– Je suis assez intrigué, je ne vous le cacherai pas, dit Levy. Pourquoi cette hâte?

– Je préférerais vous en parler de vive voix, docteur Levy.

Il y eut un silence à l'autre bout du fil, comme si cette demande contrariait Levy au plus haut point. Puis Elliott entendit son correspondant tourner des pages. Un agenda probablement.

– Je ne sais pas quand cela vous arrangerait, dit enfin Levy. Ecoutez, téléphonez-moi donc lorsque vous aurez terminé votre consultation.

– Merci beaucoup. Je le ferai sans faute, docteur Levy.

Il raccrocha et se tourna vers le jeune homme.

– Nous venons juste de dépasser l'heure impartie, j'en ai peur, dit-il en regardant sa montre.

– Alors, la semaine prochaine à la même heure?

– Certainement. (Il pensa : Je pourrais parler à Anne, lui demander de réfléchir encore avant de prendre une décision définitive. Qui sait? Nous pourrions peut-être trouver un accommodement? *Mais notre vie de couple a-t-elle jamais été placée sous le signe du bonheur?*) Il se leva et précéda le patient dans la salle d'attente.

– Je vous verrai la semaine prochaine, Arthur. Si quelque chose d'important survient, vous pouvez évidemment me joindre.

Le jeune homme sourit et s'en alla, laissant Elliott seul.

Celui-ci jeta un coup d'œil autour de lui, puis

retourna à son bureau. Il hésita avant de saisir le téléphone : Comment allait-il amener la conversation sur Bobbi avec son confrère?

Puis, n'y tenant plus, il prit l'appareil, composa le numéro de Levy, mais reposa aussitôt le téléphone sur sa fourche. Réfléchis, se dit-il. Réfléchis soigneusement avant de lui parler. Le problème demeure toujours le même : Tu as le sentiment de plus en plus aigu et troublant de protéger une criminelle. Il se frotta le menton et pesta contre le silence de Bobbi. Il aurait tant voulu l'avoir au bout du fil, entendre sa voix et ses doléances, la localiser – il eût su alors exactement quelle attitude adopter à son égard.

Mais elle n'avait pas donné signe de vie et il ignorait où elle se terrait.

Il prit l'appareil une seconde fois et appela Levy.

C'était un de ces magasins très vieux style qui prétendent pourvoir aux goûts d'une espèce en voie de disparition : celle des gentlemen. A l'intérieur, des rangées entières de vestons de sport en tweed, de bottes de cheval en cuir cousues à la main et des équipements équestres s'offraient à la vue du client; des rayonnages entiers, chargés d'accessoires de toilette et de parfums de luxe couraient le long des murs. On pouvait aussi y trouver des selles, des fouets et des jodhpurs, des fusils de chasse, des casques en toile blanche, des pantalons assortis, des multitudes de cannes à pêche et des cintres de toutes les couleurs. Toutes les richesses que l'empire américain drainait vers lui des quatre coins de la planète s'étalaient avec morgue devant l'audacieux qui osait pénétrer dans ce sanctuaire des possédants. Les employés, discrets et effacés, vaquaient à leurs occupations avec une célérité parfaite. On devinait ici une contrefaçon historique, une ancienneté de pacotille dérobée à une culture. Chacun semblait s'exprimer avec le plus pur accent anglais.

Elle se sentit dépaysée devant le lustre du lieu.

Quand le commis vint à sa rencontre, tiré à quatre épingles dans un veston noir et un pantalon rayé du goût le plus classique, elle ressentit l'irrésistible envie de prendre ses jambes à son cou en invoquant une vague excuse. Mais, paralysée par la présence de l'homme, elle lui expliqua le motif de sa visite – un cadeau à offrir à un vieil ami. L'employé acquiesça, disparut un instant derrière un comptoir, puis revint avec une corbeille pleine d'articles qu'il tint à bout de bras sous ses yeux éberlués.

Elle contempla l'ensemble tandis que l'employé, parfaitement stylé, attendait son bon vouloir. Finalement, elle jeta son dévolu sur un objet à manche de nacre. L'homme lui assura qu'elle avait fait là un excellent choix et se permit même quelques commentaires désabusés sur l'avenir incertain de tels instruments.

– Nous vivons, madame, dans une société de gaspillage. J'espère que le jour ne viendra pas où nous disposerons aussi facilement de nous-mêmes.

Il plaça l'objet dans un étui de cuir, puis ce dernier dans un sac discrètement frappé aux armes du magasin. Elle sortit à son tour une liasse de billets de banque, croyant que la vue de tout cet argent donnerait des sueurs froides à l'employé. Mais, contrairement à ses prévisions, l'homme resta de marbre.

– Je suis persuadé que votre ami trouvera cet objet à son goût, dit-il en la remerciant.

Elle sortit sur le trottoir, glissa son paquet à l'intérieur de son sac à main, et mit ses lunettes noires. Le soleil de ce début d'après-midi irritait ses paupières.

Il était près de 5 heures lorsque Peter vint reprendre sa bicyclette. Il poussa un soupir de soulagement en constatant qu'elle était restée à la même place et que personne, apparemment, n'y avait touché. Il jeta un rapide coup d'œil à l'intérieur de la caisse de métal, vérifia que tout était en ordre, la referma puis libéra la bicyclette du poteau. Il dévala la rue à toute allure tant l'impatience de découvrir sa prise le tenaillait.

Elle surveillait l'entrée.

Aucun incident notable n'était survenu.

Un livreur de fleurs s'engouffra à l'intérieur avec un bouquet.

Une camionnette marron des *United Parcels* stoppa, puis démarra sans faire de livraison.

Un policier passa en flânant et disparut au coin de la rue.

Elle scruta les fenêtres de la demeure; seul le soleil de cette fin d'après-midi se reflétait sur les vitres.

Tôt ou tard, la femme devra sortir. Tôt ou tard elle le fera.

Peter s'arrêta derrière l'immeuble, posa sa bicyclette contre une barre métallique, prit la caisse et pénétra dans le bâtiment où habitait son ami. L'ascenseur se faisant attendre, il gravit en courant les escaliers menant au troisième étage; arrivé sur le palier, il se mit en quête de l'appartement 354. Après avoir sonné, une petite femme d'une cinquantaine d'années, les cheveux noirs, vint lui ouvrir.

– C'est bien ici qu'habite Gunther? demanda Peter en essayant tant bien que mal de dissimuler la caisse.

La femme dit quelques mots en allemand puis se retourna vers le fond du corridor et appela son fils.

Au bout d'un moment, la silhouette de Gunther, que Peter reconnut aussitôt à sa coupe afro, se profila à l'extrémité du sombre vestibule. A sa manière habituelle, il marchait voûté comme si sa haute taille lui faisait honte.

– Je ne pensais pas que tu allais venir, déclara-t-il en guise de salut. Tu entres?

Peter suivit son ami à l'intérieur de l'appartement tandis que la femme marmonnait en allemand à l'adresse de son fils.

– Tu as dit que tu me paierais pour ce boulot, lança Gunther. Tu es mon ami, mais je suis plutôt à sec ces temps-ci.

– J'ai apporté l'argent, ne t'inquiète pas.

Il sortit de sa poche deux billets de cinq dollars et les lui tendit. L'autre gosse les regarda avec méfiance puis les empocha, la mine satisfaite.

– Voici le film, dit Peter.

– C'est urgent à ce point, mec? dit Gunther en prenant le rouleau.

– Développe-le sans poser de questions, d'accord?

Gunther haussa les épaules et alla fermer la porte de sa chambre. Un désordre incroyable régnait dans la pièce. Des posters aux dessins fantastiques couvraient tous les murs; certains d'entre eux représentaient des feuilles de marijuana dans lesquelles s'imbriquaient et se lovaient des volutes de fumée de façon telle que d'une certaine distance on distinguait nettement des formes de champignons hallucinogènes et des visions infiniment compliquées et torsadées. Il ouvrit alors la porte d'un grand placard. C'est là qu'il avait installé sa chambre noire.

– Je préfère travailler seul, prévint-il. Mais si tu te tiens tranquille et ne restes pas dans mes jambes, tu peux entrer avec moi. D'accord?

– Tu ne m'entendras pas, assura Peter.

Ils pénétrèrent dans le réduit et Gunther alluma la lampe rouge. Peter jeta un regard circulaire sur les flacons de produits chimiques disposés sur de nombreuses étagères puis, hypnotisé, il vit son camarade dérouler méthodiquement le film et se pencher au-dessus des cuvettes de développement. L'ampoule rouge dispensait sur toutes choses une lueur spectrale. Gunther plaça le film dans un bain révélateur puis tourna carrément le dos à Peter, qui ne put suivre les différentes opérations.

– Combien de temps faut-il?

– Tu as promis de rester tranquille.

– Bon... Je suis seulement un peu impatient, voilà tout.

– Un peu?

Ne pouvant être d'aucune utilité, Peter regarda les flacons étiquetés de sigles étranges ou d'abréviations tels que DEV. FIX et STOP. Il regretta un bref instant de ne pas disposer de son propre laboratoire photographique, mais l'heure n'était plus aux regrets. Au-dessus de sa tête pendaient des fils auxquels étaient accrochées des pinces à linge. Il siffla pour passer le temps, mais un regard courroucé de Gunther le fit taire. Il se le tint pour dit et demeura coi malgré sa nervosité.

Au bout de ce qui sembla une éternité, Gunther sortit enfin de son laborieux silence.

– Mec, elles ressemblent à quoi, tes photos? se moqua-t-il en en suspendant quelques-unes aux pinces à linge. On dirait l'entrée d'une maison.

Peter se planta devant les épreuves dégoulinantes d'eau. Une terrible déception l'empoigna : elles ne montraient que la porte close du bureau d'Elliott. Gunther ramassa ces photographies et en suspendit d'autres.

– Ah, il y a quelqu'un sur celle-ci! s'exclama-t-il.

Elle représentait un jeune homme qui descendait les marches, sortant visiblement de chez Elliott. Après quoi, un autre jeu d'épreuves succéda au précédent.

Trois de la porte.

Une montrant un facteur à moitié hors du cadre.

Puis Peter sentit son cœur bondir dans sa poitrine – une photo de la porte entrebâillée mais sans silhouette visible.

Ensuite deux clichés de passants.

– Hé, elles sont fantastiques! s'écria Gunther, goguenard. Tu pourrais te faire un nom, mec, je t'assure. Quelque chose comme un artiste d'avant-garde. Des photos qui ne veulent rien dire, tu vois le genre...

– Occupe-toi seulement de les développer, dit Peter, trop tendu pour supporter les sarcasmes de son camarade.

Ce dernier haussa les épaules et retourna au travail.

Trois clichés de la porte.

Puis une photographie sur laquelle un ivrogne, semblait-il, vacillait sur ses jambes, un sac en papier marron dans la main.

L'extrémité de la jambe d'un passant. Brouillée.

Peter eut le sentiment d'avoir gâché en vain ses forces, son temps et son argent.

Puis vint un cliché d'Elliott, parfaitement clair. Il se tenait debout en haut des escaliers, la main levée comme s'il apercevait quelqu'un. Il n'y avait personne d'autre que lui sur le cliché, hormis une tache sombre dans un coin. Ce pouvait aussi bien être une ombre.

Deux nouveaux clichés de la porte close, mais plus sombres. Le jour baissait.

– Ça, c'est de la photo! dit Gunther ironiquement. Vraiment exceptionnelle!

Une adolescente qui montait les escaliers.

Deux vues encore de la porte.

La moitié d'un policier, ou d'un homme en uniforme, passant dans le champ de l'objectif.

– Tu sais quoi? lança Gunther. Tu pourrais les exposer, ces photographies. Il y a toujours des cinglés prêts à payer des fortunes pour des trucs qu'il ne comprennent pas. Tu appellerais l'exposition « Le Coin des Choses ». Tu aimes ce titre?

– Je le déteste, rétorqua Peter.

Le sourire aux lèvres, Gunther brandit une nouvelle série d'épreuves. Elles allaient s'assombrissant du fait de l'obscurité progressive.

Alors... une curieuse photographie, une photographie si étrange que Peter retint sa respiration, attira son regard. Elle était voilée, les détails de l'immeuble apparaissaient dans une sorte de brouillard et les ombres profondes recouvraient presque tout le cadre, mais indiscutablement une femme blonde passait, fugitive, devant le perron...

Une blonde avec des lunettes noires...

C'est bien ce que Marino avait dit?

Son excitation fut cependant de courte durée. Non seulement cette mystérieuse blonde ne portait pas de lunettes noires, mais il n'était pas du tout évident qu'elle sortait du bureau d'Elliott. Bon Dieu, maugréa-t-il entre ses dents, elle pouvait être n'importe qui, une femme anonyme se baladant simplement dans la rue. Et ne te fais aucune illusion sur cette personne car, de toute façon, le cliché est si sombre qu'il serait pratiquement impossible de l'identifier. Nom d'un chien, cette photographie ne valait pas mieux que les autres!

Puis vinrent encore deux clichés de la porte, presque totalement noirs.

– Et voilà, camarade. Je crois que tu as jeté dix dollars par la fenêtre.

– Oui, on dirait.

– Tu les veux quand même?

– J'aimerais mieux. Je les ai payées, non?

Gunther gloussa bêtement.

– Chaque fois que tu voudras du travail soigné et rapide, Peter, tu n'auras qu'à venir me voir.

Après avoir quitté Gunther, Peter se rendit à toute vitesse dans un magasin où il fit l'acquisition d'un nouveau rouleau de pellicule. Il l'assujettit correctement dans l'appareil photographique et retourna à vive allure vers la maison d'Elliott. Comme précédemment, il attacha la bicyclette au poteau « Stationnement Interdit », ouvrit la caisse, régla le moteur électrique de façon à ce que l'obturateur ne commence à fonctionner qu'à l'aube suivante et prenne un cliché toutes les quinze minutes. Peut-être aurait-il plus de chance cette fois-ci, songea-t-il avec ferveur; cependant, il devenait de plus en plus évident que tous ses efforts n'étaient qu'un exercice futile et insensé. Une femme blonde dans New York... Autant chercher une aiguille dans une botte de foin!

Il s'assura que la caisse était solidement fixée sur le porte-bagages, puis il la cadenassa et regarda furtivement dans la direction du bureau d'Elliott.

Dans l'obscurité profonde de la nuit tombante – et malgré la faible luminosité dispensée par les réverbères –, il était quasiment impossible de distinguer quoi que ce fût... mais il sentit brusquement son pouls battre la chamade et un clignotant s'allumer dans son esprit, une sorte de lampe incroyablement brillante éclairer les ténèbres de son crâne.

6

L'homme devait approcher les trente ans. Il avait déjà un léger embonpoint, et une paire de lunettes à double foyer glissait continuellement sur l'arête de son nez, l'obligeant à les remettre d'aplomb d'une pichenette de son gros index. Il répétait ce geste si fréquemment que cela finissait par ressembler à une forme de maniérisme, ou à un tic dont il ne pouvait plus se débarrasser. Ses vêtements taillés sur mesure – son gilet notamment – masquaient avantageusement la rondeur de son ventre. Il occupait une suite monumentale au dernier étage du *Parkway Hotel :* l'immense salon béait sur les profondeurs abyssales de *Central Park* et, dans le fond de la pièce, Liz put distinguer par la porte ouverte une chambre à coucher au centre de laquelle trônait un énorme lit.

L'homme parlait avec cet accent que les meilleurs collèges de l'Est se faisaient un devoir d'inculquer à leurs étudiants. En travers de son gilet pendait une chaîne de montre en or.

En livrant passage à Liz, il dit avec un sourire suave :

– Je suppose que vous êtes du service d'escorte...

– C'est exact, répondit-elle en avançant vers la baie vitrée.

Son regard plongea vers la surface noire du parc étalé tout en bas, au-dessous d'elle.

– Vous êtes très jolie, dit-il.

– A quoi vous attendiez-vous? A Quasimodo?

– Tout de même pas, dit-il en s'esclaffant. C'est seulement que parfois... parfois les espérances sont déçues.

Elle remarqua qu'un seau de glace et une bouteille de champagne avaient été déposés sur une table. Elle savait qu'il la fixait, qu'il la mesurait du regard comme s'il se livrait en silence à quelques calculs. Il saisit la bouteille de champagne et, avec force tours de poignet, parvint à la déboucher. Il y eut une légère détonation. Très cérémonieux, il remplit deux coupes, lui en tendit une en souriant. Elle but lentement une gorgée en faisant quelques pas dans le salon.

– C'est un bel appartement, dit-elle sans cacher son admiration.

– Il coûte les yeux de la tête. Mais, après tout, c'est l'argent de la compagnie.

– Quel genre de compagnie?

– Expertise-conseil. Le placement du personnel le plus élevé et le plus qualifié en quelque sorte. Vous savez, les administrateurs, les vice-présidents... ces gens-là.

– Et c'est ce que vous faites?

Il sourit malicieusement comme s'il gardait la meilleure plaisanterie pour la fin.

– La société m'appartient.

– Oh, vous êtes le président en personne.

– Le président et le propriétaire et tout ce que vous voudrez encore! s'exclama-t-il gaiement en s'asseyant sur un divan.

Il tapota les coussins et Liz vint prendre place auprès de lui. En vraie professionnelle, elle croisa les jambes de façon à faire remonter sa jupe haut sur ses cuisses.

– D'où venez-vous? demanda-t-il en louchant vers la chair pâle ainsi exposée. J'ai essayé de situer votre accent, sans succès. D'habitude, je suis meilleur à ce jeu.

– Chicago, à l'origine.

– Chicago est un endroit capital. Je m'y rends souvent.

Il tournait nerveusement le verre entre ses doigts tout en conversant. Puis il remarqua les marques d'ongles sur le dos de la main de Liz et les effleura.

– Un accident?

– Un chat de mauvaise humeur.

– C'est bien dommage. Vous avez de si belles mains.

Il finit le contenu de son verre et saisit la bouteille pour se resservir une tournée. Liz refusa de la tête.

– Faisiez-vous le même genre de travail à Chicago?

– Je donnais des cours de rattrapage à ceux qui ne savaient pas lire.

– Vous enseigniez? (Il secoua la tête en signe d'incompréhension.) Pardonnez cette question... Comment passe-t-on de l'enseignement au...

– Racolage?

– Oui.

– La paie est meilleure.

– Ah, raison mercantile. Je comprends.

Liz reposa son verre sur la table.

– Je gagnerai plus d'argent ce soir avec vous qu'en un mois en enseignant à des enfants. Remarquez, j'ai aussi fait un peu de secrétariat avant d'enseigner, mais je devais, hélas, compter avec le patron qui non seulement voulait me payer deux cents misérables dollars par semaine, mais aussi me sauter gratuitement. Evidemment, je l'ai envoyé promener, et lui m'a mise à la porte. Au bout d'un moment, on commence à comprendre que les jeux sont truqués.

– Depuis combien de temps faites-vous ce métier?

– Environ dix-huit mois... (Elle le regarda dans les yeux.) Nous ne sommes pas obligés de parler, vous savez.

– Cela me fait plaisir, dit-il.

– C'est votre argent, après tout. Et j'ai le regret de vous le dire, mais l'heure est en train de s'écouler, soupira-t-elle en se renversant en arrière.

– C'est l'argent de la compagnie, ne vous en faites pas.

Un bavard, jugea-t-elle. Ils étaient légion ceux qui usaient et abusaient de cette forme inférieure d'aphrodisiaque, reléguant la partie de jambes en l'air au tout dernier moment. Elle en avait rencontré qui gaspillaient leur temps et leur argent à s'apitoyer sur leur terrible solitude, ou d'autres encore qui n'avaient pas du tout l'intention de faire l'amour. Ils parlaient, parlaient, racontaient leur vie, leur désespoir, et elle écoutait d'une oreille distraite, l'œil fixé sur les aiguilles de sa montre. C'étaient pour la plupart des hommes d'affaires solitaires, des délégués en tournée ou des commerçants déprimés. Quelques-uns d'entre eux tiraient même de leur poche une photographie de leur femme et de leurs enfants et vous la brandissaient fièrement sous le nez. Il ne vous restait plus alors qu'à émettre des « Oh! » et des « ah! » admiratifs.

Il remplit son verre pour la troisième fois.

– Etes-vous marié? demanda-t-elle.

– Depuis huit ans.

– Avez-vous déjà trompé votre femme?

– Trompé? (Il la regarda d'un air perplexe.) Ceci ne s'appelle pas vraiment tromper sa femme...

– Ah! Et pourquoi pas?

– Eh bien, vous... je veux dire que vous êtes une professionnelle.

– Ce qui veut dire que je ne suis pas une femme?

– Hé, doucement, je ne voulais pas dire ça.

– Vous vous embrouillez dans vos explications, il me semble. Ce n'est pas la peine de finasser, cela s'appelle tromper sa femme.

– Peut-être bien, mais pas au sens classique.

Liz détourna les yeux et sourit imperceptiblement. Elle ressentait une secrète délectation à faire de la morale dans les circonstances les moins propices et à des gens qui s'attendaient à tout sauf à ça. Elle aimait surtout renverser les rôles et accuser de turpitude Monsieur Tout-le-monde. Elle se voyait alors stigmatisant l'indignité de l'humanité. *Vos tromperies et vos péchés pèsent lourdement sur vos épaules! Repentez-vous pendant qu'il est temps...*

Elle le regarda de nouveau et lut dans ses yeux une émotion, un malaise aigu. Continue sur cette voie, Liz, et tu te retrouveras bientôt au chômage, se dit-elle. Elle prit alors la main potelée et dépourvue de poils de l'homme et l'entraîna vers la chambre à coucher, mais il préféra se verser à boire. Elle gagna seule la chambre et commença à se dévêtir tandis que lui parvenait du salon le clapotis d'un verre qu'on remplit. Elle s'allongea en travers du lit et attendit patiemment le bon vouloir de son hôte. Au bout d'un moment, il apparut sur le seuil, ses doigts défaisant un à un les boutons de son gilet puis remisant la chaîne en or dans la petite poche. Il posa méticuleusement son gilet sur le dossier d'une chaise, enleva sa chemise, puis ses bretelles et son pantalon et demeura ainsi, telle une baleine blanche au sexe dressé, dans son caleçon long à pois trop serré sur l'estomac. Ferme les yeux, se dit-elle. Ferme les yeux, souris, et ouvre-lui les bras pour qu'il s'y précipite.

Il trotta vers la couche et s'y laissa tomber auprès d'elle. Les lèvres humides de l'homme se plaquèrent sur son cou, léchèrent sa gorge tandis que Liz, affalée et inerte, se demandait pour la millième fois si le prix qu'elle recevait valait ces attouchements, si le souvenir de cette rencontre et de tant d'autres finirait par s'estomper.

– Tu es très belle, dit-il, pressé qu'il était par le désir.

Sa pénétration fut brutale. Elle fit entendre un bref spasme de souffrance, puis l'enlaça, ses ongles s'enfonçant profondément dans la chair de l'homme.

L'air froid de la nuit la cingla durement au visage tandis qu'un vent violent déferlait à travers le parc, faisant tournoyer follement des amas de feuilles mortes. Seule sur le trottoir au milieu de la nuit noire, Liz remonta frileusement le col de sa veste. Un taxi, il lui fallait un taxi immédiatement sous peine de geler. Elle jeta un coup d'œil au portier de l'hôtel qui la fixait soupçonneusement, comme s'il l'accusait silencieusement d'avoir perpétré Dieu sait quel crime. Un vulgaire petit larbin, songea-t-elle tout en se demandant s'il était inscrit sur son front qu'elle était une putain. Elle aperçut brusquement un taxi en maraude au bas de la rue et fit de grands signes pour attirer son attention. La voiture changea de direction et, après une ample courbe, vint se garer contre le trottoir. Le conducteur était un jeune homme au visage imberbe, probablement un étudiant qui arrondissait ses fins de mois en faisant ce travail.

Comme elle avançait vers la portière, quelque chose attira son regard, de l'autre côté de la rue.

Une voiture noire. Un mouvement, le reflet de la lumière sur la vitre lorsque la portière fut ouverte. Fugitif, aveuglant comme un éclair.

Une voiture noire et une femme blonde prenant place au volant.

Liz entra vivement dans le taxi et claqua la portière. Par la vitre arrière, elle vit les phares de la voiture noire s'allumer et l'automobile quitter silencieusement le trottoir.

– Où va-t-on, madame? demanda le chauffeur, vaguement intrigué par le comportement de sa passagère.

Le vide le plus total régnait dans l'esprit de Liz.

– Je n'ai pas toute la nuit, dit le jeune homme.

– Je sais que cela va vous sembler bizarre, et je vous assure que je ne suis pas une cinglée, mais quelqu'un me suit.

– Quoi?

– Cette voiture, là, derrière vous.

Le chauffeur se retourna, regarda dans la direction que lui indiquait Liz, puis secoua la tête.

– Celle-ci?

– Oui. La voiture noire.

– Je vous crois, ne me demandez pas pourquoi...

– Je ne demande rien. Seulement que vous la semiez, d'accord?

Le taxi démarra si brutalement que Liz s'affala de tout son long sur la banquette arrière. Elle retrouva enfin son assise et vit, par la vitre arrière, la voiture noire les suivre à distance respectueuse, sans se presser. Elle se pencha vers le jeune homme qui, visiblement, prenait plaisir à cette aventure.

– Pouvez-vous accélérer un petit peu?

– Je peux toujours essayer, dit-il en s'engageant à toute allure dans la première rue latérale, faisant hurler les pneus.

Liz garda tant bien que mal son équilibre et pensa : Il importe peu qu'elle m'ait retrouvée, ni comment elle m'a retrouvée. L'essentiel maintenant est de la semer... Mais la voiture noire suivait imperturbablement le taxi.

– Brûlez les feux rouges!

– Comme vous voudrez, dit le chauffeur.

Roulant à tombeau ouvert en direction du nord, le taxi fut bientôt pris dans le trafic dense qui s'écoulait hors de la ville, et le chauffeur navigua si éperdument au milieu de la cohue que Liz fut plus d'une fois jetée sur le plancher.

– Ça va?

– Excepté quelques fractures, ça peut aller, répondit-elle.

– Je conduis bien, non?

– Vous êtes un vrai champion! Mais la voiture ne nous lâche pas.

– Qu'elle aille au diable! s'écria-t-il en écrasant la pédale de l'accélérateur.

La voiture bondit en avant, fit un tête-à-queue sur la gauche. Les pneus arrière mordirent le trottoir puis retombèrent lourdement sur la chaussée.

– Désolé, dit-il.

– Cela ne fait rien.

– Quel genre de problème avez-vous?

– Cela prendrait trop de temps pour vous expliquer, dit Liz qui jetait des coups d'œil furtifs par la vitre arrière. (La voiture noire, loin de se laisser distancer, progressait lentement vers eux.) Connaissez-vous la station de métro de Columbus Circle?

– Bien sûr. Vous voulez que je vous y dépose?

– Oui, laissez-moi là-bas.

– Vous croyez que c'est prudent?

– J'ai cessé de penser prudemment depuis un moment déjà.

Le jeune homme obéit et lança la voiture au milieu d'un groupe de piétons qui traversaient paisiblement un passage clouté. Liz eut le temps d'apercevoir de la surprise apeurée et de la colère sur les traits des gens qui s'étaient débandés à toute vitesse vers le trottoir. *Pourris de chauffeurs! Ils s'imaginent que la ville leur appartient.*

– Elle est toujours là cette satanée bagnole! cria le chauffeur en louchant dans le rétroviseur. (Liz rencontra son regard et décela de la malice au fond de ses yeux.) Ecoutez, ajouta-t-il, si je vous sors de cette histoire, que diriez-vous d'un rendez-vous un de ces jours?

– Si vous la semez, vous aurez plus qu'un rendez-vous, assura-t-elle. (Elle déchiffra le nom inscrit sur la plaque du tableau de bord : Eric Spellman.)

– Magnifique, jeta le jeune homme en souriant.

La voiture continua son slalom effréné, brûlant les feux rouges et semant la panique parmi les piétons.

– J'ai votre nom. Je vous appelerai.

– Je m'en réjouis d'avance.

Elle se retourna une nouvelle fois et jura entre ses dents. L'automobile noire les talonnait comme un chien de chasse.

– Laissez-moi ici. Je vais descendre dans le métro.

Elle jeta quelques billets sur le siège avant.

– Vous êtes sûre que vous voulez descendre ici?

– Oui.

Le taxi s'était à peine arrêté qu'elle ouvrit la portière et se précipita à toutes jambes vers l'entrée du métro. Elle se retourna une fois dans sa course et vit la voiture noire se garer derrière le taxi. La blonde jaillit de son siège et courut le long du trottoir. Arrivée à la hauteur de la portière avant du taxi, Eric Spellman – béni soit-il – ouvrit celle-ci brutalement, frappant la blonde au passage. Tenant son ventre à deux mains, elle vacilla puis s'effondra sur les genoux.

Liz s'engouffra dans la station, courut acheter un ticket et se rendit sur le quai.

Elle se sentit en sécurité pour la première fois

depuis son départ de l'hôtel – sécurité toute relative d'ailleurs, car la question qu'elle avait éludée durant la poursuite se faisait plus pressante.

Comment a-t-elle retrouvé ma trace?

Et si elle a pu me retrouver une fois...

Bip.

Téléphone en main, elle soupira profondément, la bouche collée contre l'appareil.

Tu sais ce que j'ai fait de ton rasoir, minable? Tu dois le savoir à l'heure qu'il est, non? J'attends que tu me dises si ça chauffe. Que diras-tu, Elliott? L'une de mes patientes... oh, je vous demande pardon, l'une de mes ex-patientes s'est introduite dans mon bureau et a volé mon rasoir et je pense – j'ai même toutes les raisons de penser, oh mon Dieu! – qu'elle l'a utilisé comme l'arme du crime... Bonté divine, qu'est-ce que le monde est en train de devenir, doc? Veux-tu apprendre un fait tout simple? Je me suis acheté un rasoir tout neuf, vraiment très beau, avec un manche en nacre et une lame merveilleusement luisante... Tu comprends, il y avait cette fille, elle m'a vue avec Kate Myers dans l'ascenseur. Tu aurais dû être là, doc. Elle m'a vue, tu saisis? Tu sais ce qu'il me reste à faire, maintenant. Dis, doc, comment vas-tu m'arrêter? Tu pourrais peut-être appeler Levy et lui dire de m'accorder l'autorisation de me faire opérer, hein? Dans ce cas, je n'aurais peut-être pas à tuer de nouveau. Quel pouvoir! Qu'est-ce qu'on ressent, Elliott, à posséder un tel pouvoir? Ah, tu peux aller te faire foutre... Lis mes exploits dans les journaux de demain, doc, d'accord?

Elle raccrocha et sortit de la cabine.

L'air de la nuit était coupant comme de la glace.

Hors d'haleine, Liz déboucha des escaliers du métro menant à la surface. Elle sentit sous ses pieds les sourdes vibrations d'une rame qui roulait dans les entrailles de la terre. Elle jeta un long regard alentour, puis scruta l'autre côté de la rue, vers l'entrée de son immeuble. Pourquoi est-ce que j'hésite? se demanda-t-elle.

La peur.

Elle m'a trouvée une fois...

Mais tu l'as semée à la station de Columbus Circle, non? Tout ce qu'il te reste à faire, maintenant, c'est de monter chez toi, de te barricader dans ton appartement et d'appeler Marino pour lui raconter toute l'histoire.

C'est tout.

Elle frissonna. Le vent coupant comme un rasoir perçait ses vêtements, s'introduisait sous sa jupe fendue et piquait sa chair nue.

Une peur atroce.

Mais, pour autant que tu le saches, elle est restée à Columbus Circle. Elle est peut-être encore en train de te chercher là-bas.

Bon Dieu, elle ne peut plus me rattraper, maintenant.

Elle ne fit pourtant pas l'ombre d'un geste. Le sol trembla au passage d'une rame. Elle leva les yeux vers la façade de l'immeuble et aperçut les fenêtres de son appartement. Des yeux vides et noirs.

Bouge, se dit-elle.

Traverse la rue. Tu es en sécurité, maintenant.

Elle respirait à petits coups, comme si un étau de fer comprimait ses poumons. Les nerfs, l'hypertension. Quel était le remède? Souffler dans un sac en plastique, régulièrement? Remplis tes poumons d'oxyde de carbone ou d'oxygène ou de n'importe quoi.

Elle ne bougeait toujours pas. Elle avait l'atroce impression d'être guettée, observée; il lui semblait qu'une présence tapie dans l'obscurité l'attendait, qu'une chose informe suivait ses moindres faits et gestes. Et cette pensée lui donnait le vertige. Elle s'appuya contre le mur d'entrée du métro. Dans son dos, les vibrations cessaient puis reprenaient au rythme des arrivées et des départs des rames. Les trains s'arrêtaient dans un fracas étourdissant, puis redémarraient et disparaissaient aussitôt dans un tunnel noir en direction de nulle part.

Prenant son courage à deux mains, elle avança jusqu'au bord du trottoir. La masse grisâtre de l'immeuble lui parut soudain menaçante – un piège qui va bientôt refermer ses griffes sur toi. C'est stupide, pensa-t-elle, c'est ridicule! Elle est à Columbus Circle. Et toi tu te trouves en face de ta maison.

Ce bon vieux chez-soi.

Elle fit un pas sur la chaussée.

Une détonation claqua dans la nuit. Elle sursauta violemment, comme piquée par un serpent, et regarda dans la direction d'où venait le bruit. Ce n'était qu'une automobile dont le pot d'échappement pétaradait, mais elle ne vit même pas la voiture. Seule une cabine téléphonique se dressait non loin d'elle. Et une ombre collée à la vitre de la cabine. L'ombre bougea. Elle semblait flotter, aérienne.

Elle émergea de la cabine.

La lumière du réverbère coula sur elle comme une sorte de gelée jaune pâle, et pourtant Liz eut l'impression de revoir une très vieille photographie.

Les mêmes lunettes noires surplombaient le même mince sourire d'où émanait une cruauté glacée. Les cheveux blonds parurent s'enflammer à la lumière.

Jésus.

Liz demeura pétrifiée.

Je t'ai semée à Columbus Circle, pensa-t-elle absurdement. La phrase revenait tel un disque fatigué. Je t'ai semée à Columbus Circle. Columbus Circle.

La silhouette se détacha de la cabine.

Cours, Liz. Tourne-toi et cours. Ne songe qu'à courir.

Dans la main de la forme gelée, un objet jeta de brefs éclairs sous la lumière du réverbère.

Mon Dieu, mets-toi à courir, immédiatement.

Elle fit demi-tour et se précipita à toute allure dans les escaliers du métro. Derrière elle, des talons claquaient sur le pavé du trottoir.

Un tourniquet automatique.

Un ticket.

La barrière cliqueta et lui ouvrit le passage.

Cours, cours. Des questions folles se pressaient dans son esprit, mais elle ne possédait aucune réponse.

Elle t'a trouvée. Où que tu ailles, elle finira par remettre la main sur toi.

Le souffle court, le cœur cognant à coups redoublés dans sa poitrine, les tempes en feu, elle déboucha sur le quai. Où aller maintenant? Où? Cinq hommes de couleur devisaient tranquillement à l'autre extrémité du quai en attendant leur train. Elle pensa : *Le salut est dans le nombre. La sécurité est dans la foule.* Elle marcha rapidement vers le groupe, puis, arrivée à sa hauteur, elle regarda par-dessus son épaule. Aucun signe de la blonde.

Rien. Elle n'avait tout de même pas rêvé. Cela s'appelle de l'hystérie, se dit-elle. Une réaction hystérique. Dans le désert dévoré de soleil, l'homme assoiffé croit apercevoir une oasis à l'horizon. Et la personne terrorisée rêve ses propres peurs.

– Regardez un peu... Regardez ce qui nous vient, dit l'un des hommes.

Il portait un long manteau de fourrure et un chapeau entouré d'un ruban de satin coloré d'où s'échappait une plume. Elle détailla l'accoutrement excentrique du Noir et vit un sourire éblouissant égayer ses traits.

Derrière le sourire, Liz décela une menace à peine voilée.

– Hé, madame, qu'est-ce que vous cherchez ici-bas, hein? dit un deuxième en faisant craquer ses phalanges sous son nez.

– Une rame, répondit Liz sans se démonter. Quoi d'autre?

– Une rame? Voyez-vous ça...

Ils firent cercle autour d'elle, mais leurs sourires engageants n'annonçaient rien de bon. De nouveau, le vertige la saisit.

– Hé, Jack, tu es le gars qui adore tout particulièrement cette bonne chair blanche, pas vrai?

Celui qui répondait au nom de Jack fit la moue.

– J'aime casser des culs, mon frère. J'aime voir ces petites faces blanches avaler goulûment mon sexe, mec.

Ils s'esclaffèrent en chœur, ravis de cette plaisanterie. Liz se souvint avec effroi de cette vieille légende grecque où Ulysse tombait de Charybde en Scylla. Encerclée par les cinq Noirs, elle regardait fiévreusement le quai. Rien. La blonde n'était toujours pas apparue. L'un des types lui donna une tape sur l'épaule.

– Elle est vraiment pas mal foutue, cette gonzesse, dit-il en la reluquant des pieds à la tête.

– Lui casser le derrière ou la prendre par-devant, ça m'est à peu près égal, surenchérit un autre.

Liz sortit du cercle menaçant. A l'autre bout du quai désert, la femme blonde sortit de l'ombre d'un pilier.

– On était là à s'occuper de nos affaires, madame. Quel droit vous aviez de venir ici et d'interrompre une conversation privée entre amis? Vous voulez qu'on vous donne quelques leçons de politesse? Petite garce!

– Hé, regardez! dit Liz.

– Je regarde, dit l'un d'entre eux. Et qu'est-ce que je dois voir?

– Cette femme là-bas...

– Je ne vois aucune femme.

– Elle. La blonde!

– Ah oui, et alors? Qu'est-ce que ça veut dire, tout ce mic-mac, madame?

– Je l'ai vue tuer une femme...

Deux des cinq hommes rirent bruyamment en se frappant les côtes.

– Elle a tué quelqu'un, hein? On s'en fout! Tu veux appeler les flics, poupée?

– Je n'en vois pas, dit-elle, de plus en plus mal à l'aise.

– Exact, il n'y en a pas, répéta-t-il en approchant son visage du sien. (Il ôta la casquette de cuir qu'il portait crânement de côté et regarda à l'intérieur d'un air soupçonneux. Puis il se gratta la tête, intrigué.) Je vais te dire quelque chose, mignonne... En supposant que j'aperçoive un flic, et qu'il vienne même à un pas de moi, je ne ferais pas la connerie de lui parler d'un meurtre! Pas question.

– Merde! jura celui qui s'appelait Jack. (Il cracha sur le ciment puis écrasa la glaire avec sa semelle.) J'ai dans l'idée que je vais te sauter, ma poulette. Je ne me suis pas tapé une Blanche depuis un bon bout de temps.

A cet instant, un train émergea du tunnel dans un fracas assourdissant. Le dénommé Jack la saisit violemment par le bras, mais elle s'arracha à l'étreinte de l'homme et avança vers le train qui achevait sa course en grinçant horriblement. Elle réussit à pénétrer dans un compartiment tandis que la bande, prise de court, montait dans le wagon suivant. Les battants se refermèrent derrière elle. Elle se laissa tomber lourdement sur un siège et regarda autour d'elle. Elle était toute seule. Personne pour lui porter secours en cas de besoin. Les yeux rivés sur les graffitis qui maculaient les parois, elle fit semblant de ne pas remarquer leurs sourires narquois et leurs grimaces, de l'autre côté de la vitre de séparation.

Sans crier gare, elle se leva et partit dans la direction opposée, vers un autre compartiment. Elle ouvrit la portière, regarda par-dessus son épaule; les cinq Noirs descendaient l'allée centrale de la voiture qu'elle venait de quitter.

– *Il faut attraper cette salope!*

– *Je ne veux pas rater un seul morceau de ce beau cul, mon frère!*

En équilibre sur l'étroite passerelle qui reliait les deux compartiments, Liz frémit de peur. L'obscurité était presque totale, hormis quelques signaux lumineux rouges et verts qui défilaient à toute vitesse de part et d'autre de la vœie, et le vent furieux giflait son visage et gonflait ses vêtements, manquant à tout instant la faire basculer dans le vide. Elle saisit maladroitement la poignée du wagon suivant, faillit glisser et se fracasser sur les rails, mais se retint d'extrême justesse et, d'un ultime coup de reins, pénétra dans la voiture.

Elle aussi était vide, mis à part la blonde.

Elle voulut crier mais son cri s'éteignit au fond de sa gorge et mourut. *L'ascenseur, le sang, les ongles de la femme morte griffant le dos de sa main...* Un sourire démoniaque figé sur ses lèvres, la blonde ne la quittait pas des yeux, les deux rectangles noirs de ses lunettes fixés sur elle. Liz pivota, voulut regagner le compartiment précédent et se retrouva face à face avec les cinq hommes qui ouvraient la portière.

Piégée. Coincée. Paralysée par la peur, elle eut le sentiment qu'un rideau noir tombait sur son esprit, que le néant l'aspirait dans ses profondeurs. Noyée. D'abord l'étouffement, puis l'acceptation fataliste, enfin l'ultime baiser de la mort... Non, Liz, bats-toi, bats-toi de toutes tes forces! Tu ne peux pas mourir ainsi, lynchée d'un côté, assassinée de l'autre.

Il lui sembla que le train ralentissait, que les roues bloquées crissaient épouvantablement sur les rails. Elle chercha la femme blonde, mais celle-ci avait disparu.

– Il faut rattraper cette garce!

Elle s'adossa aux portes de la voiture.

Des lumières, un quai, la rame qui stoppe... Elle ferma les yeux, dans son dos les portes glissèrent. Tremblante, tout ressort intérieur cassé, elle ne put faire un geste, descendre du compartiment. Cette paralysie, cette sacrée peur, pensa-t-elle en rouvrant les yeux.

Comme dans un rêve, elle vit les cinq Noirs reculer, s'amenuiser vers le fond de son champ de vision; ils reculèrent et se détournèrent d'elle comme s'ils voyaient quelque chose qu'ils ne voulaient pas voir, quelque chose qui ne les concernait pas. Ahurie par leur étrange comportement, elle tourna la tête de l'autre côté.

Le rasoir fondait vers elle.

Si vite qu'il dessinait dans l'air un éclair d'argent.

Elle l'entendit chuinter et se précipiter vers sa gorge en sifflant hideusement.

Liz fit un pas de côté et leva instinctivement la main pour parer le coup...

Il ne vint pas. Il ne se passa rien.

Etrangement, la blonde suffoqua, puis émit une sourde plainte en protégeant son visage avec ses mains. Sa figure était couverte d'une écume blanche, d'une sorte de mousse à savon.

Liz se redressa vivement et descendit sur le quai.

La blonde tituba sur la plate-forme et courut vers la sortie, les mains toujours pressées sur le visage. C'est alors que Liz se rendit compte qu'un gamin d'une quinzaine d'années se tenait à ses côtés, une bombe aérosol dans la main. Elle le regarda sans comprendre puis toute force l'abandonna et elle dut, livide et tremblante, s'appuyer contre un pilier. Posément, l'enfant remisa sa bombe dans une sacoche pendue à son épaule.

Elle ferma les yeux, sentit les larmes couler le long de ses joues. Derrière elle, les portières de la rame glissèrent et le train commença à rouler.

Mon Dieu, pensa-t-elle, en se remémorant le rasoir qui tombait vers elle.

– Ce produit ne la tuera pas, expliqua le gamin. Il va seulement l'aveugler pour un moment, c'est tout. Juste assez pour lui irriter les yeux.

– Recommence par le début, petit, implora Liz. Raconte-moi par le début, et lentement, s'il te plaît, de façon à ce que je puisse comprendre.

– Ma mère était Kate Myers, dit Peter en souriant. Et cette femme l'a tuée.

Liz regardait Peter qui, le nez plongé dans une glace aux fruits, semblait avoir purement et simplement oublié les émotions toutes proches. Elle buvait son insipide café tout en tirant de longues bouffées de sa cigarette. Les nerfs à vif, ses mains ne cessaient de trembler. Chaque fois qu'elle approchait la tasse de ses lèvres, des gouttes de café éclaboussaient la soucoupe. Elle regarda l'enfant enfourner tranquillement une énorme cuillerée de glace à la vanille. A le voir, on eût cru que rien ne s'était passé.

– Donc tu as mis en place cet appareil photographique en face de chez Elliott? reprit Liz.

– Oui. Mais les résultats étaient plutôt médiocres. Je vous montrerai les clichés dans une minute. J'étais en train de le braquer pour la seconde fois sur le bureau d'Elliott quand j'ai vu cette femme. Elle descendait les marches... Alors je me suis souvenu de ce que disait ce policier... comment s'appelle-t-il déjà?

– Marino?

– Marino, c'est ça. Je l'ai entendu décrire la femme que vous avez aperçue dans l'ascenseur. Il s'adressait à Elliott, mais le psychiatre ne semblait pas la connaître.

– Ce qui veut dire?

– Ce qui veut dire qu'il la protège. C'est une de ses patientes, répondit Peter d'une voix exaspérée, comme s'il ne pouvait tolérer la lenteur d'esprit de la femme assise en face de lui.

– Pourquoi ferait-il une chose pareille? demanda Liz en souriant imperceptiblement. (Elle s'était prise d'une affection sincère pour ce gosse, et le sérieux qu'il affichait derrière ses lunettes l'amusait.)

Peter haussa les épaules.

– Les psychiatres sont comme des prêtres, je crois. Ils ne vont pas parler à n'importe qui des confidences qu'on leur fait.

Liz écrasa sa cigarette et regarda autour d'elle. Dans le fond du restaurant, près de la caisse enregistreuse, deux serveuses s'entretenaient avec des airs de conspiratrices.

– Bon, d'accord, dit-elle. Mais il s'agit d'une meurtrière! Est-ce qu'il va vraiment aller jusqu'à sauver une criminelle?

– On le dirait bien. La prochaine étape consiste à découvrir le nom de cette femme. Cela ne devrait pas être très difficile si je pouvais jeter un coup d'œil sur le carnet de rendez-vous d'Elliott.

– Doucement, petit... Tu n'as jamais entendu parler des flics de cette ville? C'est leur boulot, pas le tien.

– Ils ne travaillent pas assez vite à mon goût.

– Pardonne-moi cette observation, mais tu n'es qu'un enfant.

– Un enfant qui vous a tout de même sauvé la vie.

– Touchée. Mais que comptes-tu faire? T'introduire dans le bureau de ce type et voler son précieux carnet?

Peter fixa le fond de son grand verre.
– Je n'ai encore aucun plan. J'y penserai.
Liz sourit et caressa gentiment sa main. Peter rougit violemment.
– Je vous ai vue au commissariat. Vous regardiez les fichiers de la police, dit-il.
– Tu es un petit espion à ta manière, hein?
– Je me débrouille. Quand la blonde a quitté le bureau d'Elliott, je l'ai suivie. Elle m'a conduit directement à vous.
Liz alluma une autre cigarette et songea à la blonde qu'elle avait réussi à semer à la station de métro de Columbus Circle. Et peu après elle la retrouvait devant l'entrée de son immeuble. Comment avait-elle fait pour la rejoindre aussi rapidement?
– Une chose me tourmente. Comment savait-elle où j'habite?
– Je l'ignore, avoua Peter.
– Moi aussi, mais il ne faut pas être un génie pour comprendre que je n'ai plus intérêt à remettre les pieds chez moi.
– Où irez-vous?
– Je louerai une chambre dans un hôtel, au moins pour cette nuit. Et dès demain matin, je téléphonerai à Marino.
– Faites-le tout de suite, cela vaut mieux.
– Maintenant je veux seulement dormir, petit.
– Dormir. Quelle perte de temps.
– Quand tu auras mon âge, tu te rendras compte que ça fait un bien énorme, Peter.
Elle toucha sa main une seconde fois. Très gêné, il sourit timidement et regarda autour de lui pour voir si personne n'avait remarqué le geste de Liz. Alors il retira sa main et ouvrit sa sacoche. Il passa

le cliché de la femme blonde à Liz. Les doigts tremblants, elle saisit la photo.

– Si je devais parier, je n'hésiterais pas à jurer qu'il s'agit bien de notre criminelle. Elle n'est pas très claire, mais c'est amplement suffisant.

Elle lui rendit le cliché.

– Tu es un petit gars très malin, Peter. Je ne t'ai même pas vu dans le train. En tout cas, je te remercie du fond du cœur d'avoir été là au moment crucial avec ton vaporisateur.

– Oh ça, je l'ai fabriqué moi-même. Je suis encore trop jeune pour porter une arme. Avec un aérosol, je me sens parfaitement en sécurité.

– Tu l'as fabriqué *toi-même*?

– Bien sûr. C'est un dérivé de l'orthochlorobenzalmalononitrile...

– Si j'essayais de répéter ce jargon, je me casserais à coup sûr les dents dès les premières syllabes. J'ignore ce que c'est, mais ton produit m'a sauvé la vie. Je te la dois.

– Vous ne me devez rien. Mais vous *pourriez* aller voir les policiers dès ce soir. Faites-moi plaisir, appelez Marino.

– Doucement, un peu de patience ne fait pas de mal. Et puis je me sens totalement vidée après toutes ces émotions.

Peter hocha le menton d'un air contrarié.

– Courage, petit. J'avertirai les flics dès demain matin, je te le promets. Et si les choses ne se passent pas bien, on inventera autre chose... rien que toi et moi. (Elle repoussa la tasse vide et écrasa sa cigarette.) Tu prends le taxi avec moi. Je te dépose.

– Eh bien...

– Quoi donc?

– Le problème, c'est que j'ai raconté à mon beau-père que je passerais la nuit chez un ami pour travailler sur un projet scientifique...

– Ah, je vois. Tu veux que je te couvre?

– C'est ça.

– Tu veux partager ma chambre d'hôtel?

– Oui. J'aimerais aussi beaucoup que vous ne mentionniez pas mon nom lorsque vous irez voir Marino. Mike comprendrait que je lui ai menti... et les conséquences seraient déplaisantes. Surtout dans l'état où il est en ce moment.

– C'est d'accord, dit-elle en ébouriffant ses cheveux.

Ma mère avait l'habitude de faire ça; elle faisait ce geste de la même façon.

– Rassure-toi, je ne citerai pas ton nom.

Ils se levèrent et quittèrent le restaurant. En sortant, Peter lui tint la porte ouverte.

– J'ai été bien des fois dans des hôtels avec des gens plutôt étranges, dit Liz en remontant le col de sa veste. Mais c'est bien la première fois que j'y vais avec un garçon de quinze ans.

Elle héla un taxi puis ouvrit la portière avec précaution, comme si elle n'eût pas été étonnée de voir la blonde assise sur la banquette arrière, un rasoir dans la main.

Elliott était sorti dîner dans un restaurant voisin. A son retour, il actionna le répondeur automatique, écouta quelques mots du message de Bobbi puis éteignit rageusement l'appareil. *Dis donc, comment vas-tu m'arrêter...?* Il aurait voulu piétiner la machine, la réduire en poussière afin de ne plus entendre cette voix d'outre-tombe.

Il avait peur et c'était un sentiment qui lui était

jusque-là demeuré étranger. Il ignorait comment le traiter, le maîtriser. Sa peur était décuplée par l'atroce sentiment de solitude qu'il éprouvait dans ce bureau vide, au milieu de ces objets sans réelle consistance et de ces ombres soudain hostiles.

Mû par une brusque idée, il alla à son bureau et composa le numéro de sa maison. Il n'arrivait pas à refouler cette peur diffuse qui s'était emparée de lui. Il lui fallait parler à sa femme, entendre sa voix, renouer le fil cassé de leurs relations anciennes.

– Il est tard, dit-elle de sa voix pâteuse au bout d'un moment. (Elle avait probablement bu, à moins qu'elle ne fût sous l'effet de somnifères.)

– J'aimerais rentrer à la maison ce soir, plaida-t-il en se tournant du côté de la salle de bains.

La porte était légèrement entrebâillée. Il eut le sentiment qu'il allait sous peu découvrir quelque chose derrière cette porte.

– Ce n'est plus ta maison, mon cher. Je pensais avoir été claire à ce sujet.

– Attends... Je pense que nous devrions en parler, essayer d'arranger les choses.

– Il y a des moments, mon amour, où je crois vraiment que tu n'as pas les pieds sur terre. Tu rêves! Ta suggestion est tout à fait déraisonnable, ne le comprends-tu pas? Tout est terminé entre nous. Fini. Les jeux sont *faits*.

La solitude était totale, les murs du bureau semblaient se pencher vers lui et l'emprisonner dans un carcan.

– Ecoute-moi, Anne. Je pourrais venir tout de suite... Dans à peu près une heure je serai à la maison. Je crois sincèrement que nous devrions parler de ces choses calmement...

– Oh, suffit avec ces sottises! Nous n'avons plus rien à nous dire.

Il demeura silencieux, prostré, les yeux de nouveau attirés par la porte entrebâillée. Il devinait confusément une présence ou un objet qui n'auraient pas dû être là.

Il entendit Anne murmurer :

– D'autre part, j'ai de la compagnie.

– De la compagnie?

– Tu m'as bien comprise.

– Qui?

C'est à peine s'il put prononcer le mot tant sa gorge était sèche. Il se demanda – sans y croire vraiment – s'il ressentait de la jalousie. Comment serait-ce possible, lui qui ignorait ce genre de faiblesse?

– Cela importe peu.

– Un homme?

– Un homme, oui.

Tout en tenant le récepteur collé à son oreille, il contourna le bureau et poussa du pied la porte de la salle de bains. *Quelque chose.* Il voulut allumer, mais il ne trouvait pas le commutateur.

– Tu couches avec lui? demanda-t-il.

– Je suis sur le point de coucher avec lui, mon cher, rectifia-t-elle.

– Oh, mon Dieu...

– J'espère que ton divan est confortable, chéri.

Clic. Ligne coupée. Plus rien.

Il raccrocha de toutes ses forces, ivre de rage et demeura sur le seuil de la salle de bains, tremblant de tous ses membres. Il avait peur d'allumer et ignorait la raison de cette frayeur. Mais tous ses sens lui criaient de n'en rien faire.

C'est alors que le parfum, le très léger parfum

reconnaissable entre mille, lui chatouilla les narines. Cette odeur lui était si familière.

Il leva la main vers le commutateur.

La glace de la salle de bains lui renvoya son image.

Il ferma les yeux et s'adossa au chambranle de la porte.

Comment avait-elle pu pénétrer ici? Par quel moyen avait-elle réussi à entrer dans son bureau durant son absence? Elle avait peut-être fait faire le double de ses clefs, il n'y avait pas d'autre explication.

Il regarda de nouveau la glace. Les mots tracés au rouge à lèvres s'étalaient grassement en travers de la surface polie.

DÉSOLÉE DE T'AVOIR MANQUÉ DOC MAIS JE TE REVERRAI BIENTÔT BAISERS DE BOBBI

Il prit du papier de toilette et effaça fiévreusement ces mots qui le terrorisaient. Mais plus il essuyait, plus le rouge à lèvres s'étalait sur la glace; au bout d'une minute, celle-ci fut entièrement recouverte d'une fine pellicule rougeâtre. Il froissa rageusement le papier et le jeta dans les waters avant de retourner à son bureau. *Elle était ici pendant mon absence. Ici.*

Demain, se promit-il en s'effondrant dans le divan, il irait voir Levy. Et après l'entrevue avec son confrère, il cesserait définitivement d'aider Bobbi et de la protéger. Il se laverait les mains de toute cette affaire.

7

Un changement s'était opéré dans le climat. Les ciels dégagés s'étaient chargés de lourds nuages d'orage, gris comme le plomb, qui noyaient le sommet des buildings dans une purée noirâtre. Marino sortit de la voiture et leva le nez. Il n'aimait pas beaucoup ce temps-là. Marino avait une façon très personnelle de réagir à cette sorte d'inconvénient : il décidait tout simplement que ce changement de température était dirigé contre lui. Aussi montrait-il aussitôt de l'animosité envers les éléments et ne leur épargnait-il aucune insulte, comme il l'eût fait envers un ennemi de chair et de sang. Après tout, ce mauvais temps ne lui causait-il pas des migraines insoutenables et n'agissait-il pas sur ses sinus?

Il traversa en vitesse le parking et pénétra dans le commissariat. Il avait très mal dormi la nuit passée, hanté qu'il avait été par des cauchemars écœurants et des créatures hideuses. Il s'était même réveillé au milieu de la nuit en sursaut, le front moite et les yeux écarquillés d'horreur. Réveillé par le bond qu'il avait fait, Marie lui avait mis la main sur le front. *Tu vas tomber malade à force de te ronger les sangs, Joseph. Tu dois faire plus attention à ta santé.*

Mais ce matin, il n'était déjà plus tellement certain d'avoir rêvé. Curieux comme la vie prend parfois des allures de bouillabaisse. Où commence la réalité et où finit le rêve?

Après avoir pendu son manteau, il ramassa les tickets de match de base-ball qui traînaient sur le bureau et jura contre son emploi du temps qui lui interdisait les plus petites joies de l'existence. Merde, pensa-t-il, je ne peux tout de même pas revenir sur la promesse que j'ai faite aux enfants. Il enfouit les billets dans la poche de son blouson et songea au meurtre de Kate Myers. Cette affaire l'ulcérait de plus en plus; il avait la désagréable impression de se cogner contre un mur sans faille, sans défaut. Mis à part le témoignage de Liz Blake, quels autres éléments possédait-il? Pas grand-chose en vérité. Il pouvait difficilement la boucler sur de simples présomptions. Liz Blake assassinant Kate Myers? Un vrai cul-de-sac. Bon, et le psychiatre? Et ses patients? Ils avaient contre eux la rumeur publique; on n'aimait jamais beaucoup les cinglés, et les savoir en liberté n'arrangeait pas les choses. Pourtant, dans ce métier sans gloire, on était quelquefois obligé de prendre ce qui vous tombait sous la main, à défaut de meilleurs indices ou de meilleur coupable. Assis devant son bureau, il regarda d'un œil morne les papiers accumulés sur la table.

Des messages, encore des messages.

Aujourd'hui, à 3 heures du matin, on avait repêché un corps dans la rivière, non loin de la 125ème Rue. Il parcourut rapidement le rapport. *Un femme d'origine caucasienne. Morte depuis trois jours environ. Plaies multiples provoquées par un couteau.* Bon Dieu, plaies multiples!

A 4 heures 37, toujours ce matin, un cadavre a été découvert dans une maison abandonnée. Un Noir de sexe mâle, d'à peu près quarante ans, abattu d'une balle de revolver, plaies au visage et sur la nuque.

Il repoussa le rapport d'un air dégoûté et alla jusqu'à la fenêtre. Qu'est-ce qui poussait tellement la race humaine à se détruire ainsi? Quel facteur génétique déréglé forçait les gens à s'entre-tuer de la sorte? Il appuya sa joue contre la vitre froide. La municipalité ne te paie pas pour philosopher, se dit-il; elle te verse un salaire pour envoyer en taule tous ces satanés assassins, et si tu ne le fais pas, elle a tendance à se mettre en colère. Quand une femme comme Kate Myers finit tragiquement dans un bain de sang, le contribuable veut être sûr de n'être pas la prochaine victime.

La porte de son bureau s'ouvrit.

Il se retourna et vit un jeune homme à l'uniforme impeccable se tenir au garde-à-vous devant lui. Il y avait une lueur d'impatience dans les yeux du nouveau. Un jeune canasson qui piaffe, songea Marino.

– Oui?

– Il y a quelqu'un ici qui voudrait vous voir, monsieur.

– Qui?

– Une certaine Mlle Blake.

Marino tripota machinalement sa moustache.

– Faites-la entrer.

Le policier sortit et fit un signe de la main. Liz parut dans l'encadrement de la porte.

Marino lui indiqua le siège en face du bureau, mais elle refusa l'invitation. Debout, les mains enfoncées dans les poches, elle avait les traits tirés et le visage pâle. Une nuit de labeur, se dit l'inspecteur. Ce ne devait pas être commode de se faire quelques économies de cette manière.

– Vous venez à confesse?

– Comment avez-vous deviné? rétorqua-t-elle ironiquement.

– Appelez cela le flair du policier, si vous voulez.

Elle ne répondit pas, préférant regarder par la fenêtre en mordillant sa lèvre inférieure.

– Un temps pourri, lança Marino.

Elle hocha le menton puis s'assit en face de lui et sortit un mouchoir de son sac. Elle se moucha tranquillement et dit :

– Il s'est passé quelque chose la nuit écoulée.

– Ah oui?

– Elle a essayé de me tuer.

– Qui a essayé de vous tuer?

– La même femme, voyons... celle que j'ai vue dans l'ascenseur.

– Où est-ce arrivé?

– Dans le métro.

– Dans le métro, hum?

– Est-ce que je devine bien de l'incrédulité dans votre voix, lieutenant?

– Vous imaginez trop de choses, Liz.

– Vous pensez que j'ai rêvé d'avoir failli être tuée hier soir dans le métro? Bon Dieu, elle m'a agressée avec un rasoir!

– Un autre rasoir? Je vois. Elle doit en avoir une pleine caisse.

– Vous ne me croyez pas, c'est bien ça?

– Voyons un peu. Le métro. C'est un endroit public. Il me paraît donc évident qu'il devait y avoir des témoins. Il y passe suffisamment de gens, non?

Elle le foudroya du regard.

– Ecoutez, elle m'a suivie. J'ai pensé que je l'avais semée, mais je l'ai retrouvée devant l'entrée de mon immeuble.

Marino frappa ses mains l'une contre l'autre, bougeant ses bras comme s'il balançait une batte de base-ball imaginaire.

– Je vous ai posé une question. Y avait-il des témoins?

– Non, dit-elle au bout d'un moment.

– Fantastique, Liz. Un tas de choses semblent vous arriver quand il n'y a justement personne autour de vous pour les voir.

– Je ne suis pas venue ici pour écouter vos commentaires, Marino.

– Vous me donnez du Marino, maintenant? On devient intime, à ce que je vois. La prochaine fois nous boirons probablement un verre ensemble dans un bar tranquille.

– Bon sang, quelqu'un essaie par tous les moyens de me tuer, Marino!

– Je connais une petite cellule où vous serez parfaitement à l'abri.

Ecœurée par tant de méchanceté aveugle, elle se leva et retourna à la fenêtre.

Une jolie poupée, pensa-t-il en la suivant des yeux. Qu'est-ce qui pousse une beauté comme elle à devenir une racoleuse?

La pluie commença à tambouriner sur la vitre.

– Je vais vous dire quelque chose, reprit Liz. Je vais vous dire comment mettre la main sur cette criminelle.

– Je suis tout ouïe.

– La femme qui a tué Kate Myers, puis qui a essayé d'en faire autant avec moi, est une patiente d'un certain Dr Elliott.

– Qu'est-ce qui vous fait croire cela?

– Elle est sortie de son bureau.

– Vous l'avez vue? Vous vous teniez juste en face du bureau de ce type et hop! la voilà qui sort!

– Je commence sérieusement à être excédée par votre attitude.

Il haussa les épaules.

– Vous l'avez vue ou non?

– Pas personnellement, non. Mais je sais qu'elle est une de ses malades et tout ce que vous avez à faire, c'est de jeter un coup d'œil dans son registre à la date d'hier et de trouver un nom. Le reste ne devrait pas être trop difficile, même pour vous de la police.

– Votre confiance me va droit au cœur, dit-il en s'inclinant bassement. Je vais pourtant vous avouer quelque chose qui va vous surprendre, ma jolie. J'ai déjà pensé au carnet de rendez-vous de ce bon docteur. Amusant, non? Mais je ne peux pas entrer dans son bureau et voler ce carnet parce qu'il me faut une autorisation signée du juge. Et obtenir cette autorisation n'est pas facile. Cela prend du temps, vous comprenez? Un flic ne peut pas aller foutre son nez dans les affaires d'un psychiatre sans ce maudit papier.

– Alors ça, c'est magnifique! s'écria Liz. Pendant que vous attendez ce morceau de papier, une maniaque se promène en liberté.

– Oui. D'après vous, il y a une maniaque qui se balade dans les rues... (Il la regarda en silence, pensant à part lui : Peut-être, peut-être pas.) D'un autre côté, Liz..., reprit-il.

– D'un autre côté, quoi?

– D'un autre côté, ce ne sont pas ces finesses juridiques qui pourraient empêcher, disons... une personne soupçonnée de meurtre, comme vous, d'aller fouiner dans les affaires d'autrui. Qu'en pensez-vous?

– Un moment, un moment... Vous voulez que je m'introduise par effraction dans son bureau? Vous voulez que j'aille moi-même subtiliser ce registre?

Marino eut un sourire radieux.
– Ai-je dit une chose pareille?
– Vous avez dit une chose pareille – autrement.
– Je n'ai rien dit de tel, Liz.
Il ramassa quelques papiers étalés sur le bureau et fit mine de s'absorber dans leur lecture. Puis, visiblement lassé de jouer la comédie, il les reposa et soupira.
– Je suis désolé, Liz, mais demain je vais devoir vous boucler pour meurtre.
– Vous savez ce que c'est, ce petit jeu-là, Marino? Il y a un mot pour définir ce que vous faites, un mot dégoûtant!
– Oui, lequel?
– Chantage!
– Moi, vous faire chanter? Je suis un policier, madame. Je n'enfreins pas la loi, je la défends.
– Ne me faites pas rire, voulez-vous?
Elle se dirigea vers la porte.
– Demain, dit-il.
Quand elle fut partie, un sourire erra sur les lèvres de Marino.

Midi venait juste de sonner quand elle arriva à la cafétéria de la 75e Rue Ouest où elle avait donné rendez-vous à Peter. Il s'y trouvait déjà, dans le coin le plus reculé de la salle, aux prises avec un énorme hamburger débordant de ketchup. A son approche, il leva les yeux, sourit, et Liz songea avec amusement que leur alliance était bien étrange : une racoleuse et un gosse réunis dans une même affaire. Elle se laissa choir sur la banquette en face de lui.
– Tu mets toujours autant de ketchup dans tes hamburgers? demanda-t-elle en regardant l'horrible mixture rouge.

– Ça permet d'oublier le goût du hamburger. Alors, qu'est-ce qui s'est passé?

– Avec Marino?

Il acquiesça en engloutissant une portion de son repas. Une larme de sauce tomba dans son assiette.

– Il m'a donné ce qu'il est convenu d'appeler un ultimatum, petit.

– Lequel?

– Tu ne devrais pas parler la bouche pleine, tu sais.

– Oui, je sais.

– Il veut que je pénètre dans le bureau d'Elliott par mes propres moyens et que je jette un coup d'œil sur le fameux carnet.

– Comment allez-vous vous y prendre?

Liz piocha une cigarette dans son sac et l'alluma posément.

– J'ai eu une brillante idée en venant ici, du moins c'est ce qu'il m'a semblé. Mais elle me paraît encore plus brillante lorsque je considère l'alternative qui m'est si gentiment offerte.

– Vous voulez bien m'en parler?

– Je n'aime pas beaucoup cette idée, d'ailleurs, mais je ne trouve rien de mieux.

Peter reposa dans l'assiette le reste de son hamburger et se pencha par-dessus la table pour écouter...

Le bureau de George Levy se trouvait dans un immeuble de la 42e Rue. Tandis que l'ascenseur montait vers les étages, Elliott essayait encore – vainement – de réprimer sa nervosité. Une sourde inquiétude l'oppressait après la nuit mouvementée qu'il avait passée. Des rêves confus, des lambeaux de cauchemars concernant sa femme, Bobbi et lui-même, n'avaient cessé de troubler son sommeil, l'empêchant de fermer l'œil. N'avait-il pas découvert, la veille, qu'elle s'était introduite dans son bureau? Il avait rêvé qu'elle se penchait au-dessus de lui, un rasoir brandi dans la main, la bouche tordue en une grimace hideuse, et les mots qu'elle prononça semblaient déformés par une chambre d'écho. *Ton heure approche aussi, Elliott. Ne fais pas d'erreur...*

Sur le palier, il suivit les panneaux menant au bureau de Levy. La salle de réception était on ne peut plus classique : des plantes grimpantes donnaient un semblant de gaieté à la pièce et des haut-parleurs diffusaient en sourdine de la musique. La secrétaire était séduisante à la façon d'une poupée de plastique; Elliott aurait parié que son confrère l'avait choisie sur catalogue. C'était le genre de fille qui écumait n'importe quel magazine, qu'il s'agisse de prendre la pose pour vanter une marque de bikini ou un quelconque produit de beauté. Il se présenta, elle lui sourit mécaniquement, quitta son fauteuil et le précéda dans l'antre de son patron... Ce dernier se leva, main tendue. Elliott la serra, la fille se retira sur la pointe des pieds.

– Je suis sincèrement désolé de n'avoir pas pu vous recevoir plus tôt, croyez-le bien, dit Levy en manière de préambule. Vous savez comment cela se passe... du travail, des rendez-vous à n'en plus finir, etc. Asseyez-vous, je vous en prie.

Elliott prit place dans le fauteuil que lui indiquait Levy et soupesa son hôte du regard. Le psychiatre était un petit bonhomme grassouillet, une crinière de cheveux gris en bataille recouvrait son crâne. Il s'agissait à n'en pas douter de quelqu'un qui scrutait impitoyablement, qui ne cessait jamais d'analyser; un regard qu'Elliott – il s'en rendit compte immédiatement – ne pourrait affronter. Il ressentit aussi autre chose, très vaguement cependant : la conviction que Levy ne lui était pas inconnu. Peut-être s'étaient-ils croisés lors d'un symposium.

– J'ai de la peine à imaginer le but de votre visite, je vous l'avoue, dit Levy en souriant. J'espère que vous pourrez m'éclairer.

– Je le pense. Ma visite concerne l'une de mes anciennes patientes, quelqu'un que, si mes renseignements sont exacts, vous traitez actuellement.

Levy jeta un rapide coup d'œil à sa montre, puis regarda de nouveau Elliott. Ses traits exprimaient une certaine incrédulité, de l'ahurissement même, mais cela fut si rapide qu'Elliott crut avoir rêvé.

– Je comprends tout à fait le devoir de réserve et de discrétion qui nous incombe, expliqua Elliott, et j'y souscris entièrement, mais des circonstances très spéciales m'obligent à n'en pas tenir compte...

– Cela m'aiderait beaucoup si vous nommiez la personne en question, docteur Elliott.

– Il s'agit de Bobbi.

– Ah oui, Bobbi.

Il sortit une blague à tabac d'un tiroir et entreprit de bourrer sa pipe consciencieusement. Il lui fallut plusieurs allumettes pour l'allumer convenablement.

– Je n'ai plus l'ombre d'un doute à présent, reprit Elliott. Elle est dangereuse.

– Dangereuse?

– Elle m'a menacé de très graves ennuis parce que j'ai refusé de lui donner mon accord concernant l'ablation de son pénis.

– Pourquoi avez-vous refusé?

– Mon opinion était – et je la crois toujours valable – que je n'avais pas en face de moi un vrai transsexuel.

– Peut-être pourriez-vous m'expliquer vos raisons?

– Un vrai transsexuel a la conviction absolue, inentamable, qu'il est un sexe emprisonné pour ainsi dire dans l'enveloppe corporelle de l'autre sexe. Bobbi, cependant, n'est pas vraiment consciente de son autre *moi*, et j'avais diagnostiqué en elle une personnalité schizophrénique dangereuse. Mon opinion est qu'elle doit être traitée par la chimiothérapie sous surveillance, et non subir une opération chirurgicale. De plus, elle doit être gardée dans un environnement restreint.

– Un établissement psychiatrique, selon vous?

– Exactement.

Il rencontra le regard de Levy et ne put le supporter. Il baissa les yeux tout en pestant contre son manque de fermeté.

– Quel genre d'ennuis vous a-t-elle causés?

Elliott hésita. L'abîme sombre s'ouvrait sous ses pieds. Mais comment oserait-il la protéger après tout ce qui s'était passé?

– Il y a eu des appels téléphoniques d'une nature inquiétante. S'il ne s'agissait que de cela, je ne serais évidemment pas aussi effrayé que vous me voyez à l'instant. Cependant...

Levy l'interrogea du regard.

– Elle a aussi subtilisé un rasoir dans mon bureau.

– Pourquoi?

– Avez-vous lu les articles de journaux concernant une femme qui a été abominablement assassinée dans un ascenseur?

– Il était difficile de les manquer.
– La victime, Kate Myers, était l'une de mes patientes, docteur Levy.
– Et vous pensez que Bobbi l'a tuée avec votre rasoir?
– Cela crève les yeux. (Il s'éclaircit la voix avant de poursuivre.) Et j'ai toutes les raisons de croire qu'elle ne va pas en rester là. Elle l'a affirmé.
– Avez-vous informé la police?
– Pas encore. Je désirais m'entretenir avec Bobbi avant de m'en ouvrir aux policiers. Vous comprenez, je voulais être absolument sûr de sa culpabilité. Malheureusement, je ne sais où la joindre. Alors je suis venu vous voir.
Une fois sa pipe éteinte, Levy nettoya le fourneau avec une allumette. Il réfléchissait intensément.
– Je vous serais reconnaissant de bien vouloir me tenir au courant, dit Elliott en se levant.
– Naturellement. Mais avant de partir, aimeriez-vous savoir pourquoi elle est d'abord venue me trouver?
– Je suppose qu'elle imaginait que vous approuveriez l'opération que je lui avais refusée.
Levy se leva de son fauteuil et alla vers un meuble qu'il ouvrit. Il sortit une cassette et l'introduisit dans un magnétophone.
– Je veux que vous écoutiez ceci, docteur Elliott. Puisque nous connaissons tous deux cette patiente, et ses problèmes, je n'ai pas le sentiment de faillir au secret professionnel.
Il appuya sur le bouton.
Il y eut des crépitements, puis la voix de Bobbi s'éleva, interrompue de temps à autre par une question de Levy.

– J'ai été dans un pensionnat pendant quelque temps...

– Quelque chose de particulier vous est-il arrivé là-bas? Un détail, une anecdote dont vous ayez gardé le souvenir?

– Les jeux... Je me souviens des jeux... Je n'étais pas très forte. Mais ce n'est pas cela dont je me souviens le mieux. Simplement le sentiment d'être différente, différente de tous les autres gosses de l'école. Je me sentais seule, misérablement seule. Il m'était difficile... oui, difficile d'expliquer combien j'étais désespérée, combien tout était noir en moi...

– Et les autres enfants?

– Ils savaient. Ils avaient remarqué mon malaise. Je voyais bien qu'ils savaient que j'étais différente d'eux.

Les yeux fermés, Elliott écoutait intensément la voix glaciale de Bobbi.

– Parlez-moi de la différence que vous ressentiez.

– Comment parler du malheur?

– Eh bien, pouvez-vous me raconter un événement qui vous ait rendue heureuse?

Un silence. Puis, un froissement, comme un papier qu'on déchire.

– Un jour, alors que je revenais chez moi pendant un congé, j'ai...

Un autre silence.

– Qu'avez-vous fait, Bobbi?

– J'ai mis les vêtements de ma sœur. On m'a découvert.

– Qu'est-il arrivé alors?

– J'ai été réprimandée. Mais cela ne faisait rien, cela n'avait aucune importance parce que pour la première fois de ma vie je compris qui j'étais; je compris ce que j'étais et ce que je voulais être... Et j'avais cette chose entre les jambes, ce membre, et je me rappelle que je souhaitais m'en débarrasser. Je n'ai jamais cessé de vouloir m'en débarrasser.

– L'idée a persisté.

– Persisté! J'y ai toujours pensé, durant toute mon adolescence, et lorsque je commençai à sortir dans mes vêtements de femme, je fus persuadée qu'il me fallait subir l'opération. Mais Elliott ne voulait pas m'accorder l'autorisation...

Les paupières toujours closes, Elliott se pencha en avant.

– C'est alors que vous avez essayé de vous l'enlever vous-même?

– Oui, j'ai pris un rasoir. J'ai pris un rasoir très effilé et j'ai essayé...

Levy arrêta l'appareil.

– Elle a essayé de couper ses parties génitales, dit-il en dévisageant Elliott.

Ce dernier, ahuri par cette nouvelle, garda le silence.

– C'est alors seulement qu'elle est venue me voir.

– Quand est-ce arrivé?

– Il y a environ deux mois.

Elliott secoua la tête d'un air abattu.

– Mon Dieu, j'ignorais totalement qu'elle avait été aussi loin. Je ne me suis tout simplement pas rendu compte...

Levy se grattait le menton d'un air dubitatif.

– Si vous le voulez, je lui parlerai cet après-midi, dit-il. Je vous tiendrai au courant. Serez-vous à votre bureau?

Elliott acquiesça.

– Merci pour votre précieux concours, docteur Levy.

– Je reprendrai contact avec vous.

Il était un peu plus de 3 heures de l'après-midi lorsque Marino vint prendre ses enfants à la sortie de l'école, sous une pluie battante. En le voyant arriver, ils n'en crurent pas leurs yeux, comme si après tant de vaines promesses ils n'attendaient plus rien de leur père, sinon une excuse tardive par téléphone ou un changement de dernière minute. Marino exultait intérieurement; pour une fois, ils ne les avait pas laissé tomber pour courir après des criminels. Cela lui redonnait le sentiment chaleureux d'appartenir à une famille unie, une famille dont les liens devenaient de plus en plus fragiles avec les années. Les garçons grimpèrent à l'arrière de la voiture en se chamaillant, leurs pantalons maculant la banquette. Grand bien leur fasse, pensa-t-il; il ne se sentait pas vraiment le cœur de les gronder. Même le match de base-ball ne lui disait pas grand-chose, mais il se faisait une joie de les y accompagner. Son plus grand bonheur, cependant, serait d'obtenir un congé et de sortir pour un temps de ce monde de violence et de crimes.

Tout en conduisant sa voiture d'une main experte, il jetait un coup d'œil dans le rétroviseur.

– Arrêtez un peu ce boucan, les petits, d'accord? Dans ce merdier de trafic, j'ai vraiment besoin de me concentrer, vous ne croyez pas?

Ils lui sourirent avec cette expression de tolérance que les enfants réservent souvent à leurs parents.

– Tu as résolu des crimes, ces derniers temps? demanda le plus jeune.

– Bien sûr. J'en résous tous les jours.

Ils se donnèrent des coups de coude dans les côtes en riant.

– Hé, les gosses, je suis très bon dans mon travail, vous savez. Qu'est-ce que vous croyez, que je n'ai jamais attrapé un assassin?

– Je parie que tu les attrapes toujours! s'exclama le plus petit.

L'aîné sourit et chuchota quelques mots dans le creux de ses mains.

– Vas-y, raconte-moi ce que tu disais à ton frère à l'instant, dit Marino.

Ils échangèrent des regards de conspirateurs puis éclatèrent de rire.

– Je vais vous dire une bonne chose. Ce n'est pas une mince affaire que d'être un policier.

– Colombo attrape toujours son bonhomme, lança l'aîné.

– Ah, ce sont des histoires.

– Peut-être, mais il découvre toujours le tueur.

– Moi et Colombo, tout ce qu'on a de commun, c'est l'imperméable.

– Non, tu brosses aussi tes cheveux. Colombo jamais.

– Ecoutez-moi un peu. Dans mon commissariat, ce gars-là ne tiendrait pas une minute.

Il freina brusquement à un feu rouge. L'image de Liz Blake vint le hanter. Repousse-la, se dit-il; tu as droit à deux heures de tranquillité, non?

Liz sortit de la cabine téléphonique. Peter l'attendait à l'entrée d'un magasin sans la quitter des yeux. Elle longea le trottoir en courant, la pluie giflant sa figure, et vint s'abriter sous l'auvent du magasin. Elle passa la main dans ses cheveux mouillés tandis que Peter la regardait d'un air interrogateur.

– C'est fait, dit-elle enfin. La mécanique est en marche.

Il secoua la tête, presque désespéré par la tournure que prenaient les événements.

– Je n'aime pas beaucoup cette idée, vraiment.

– Tu en as une meilleure?

– Non, reconnut-il au bout d'un moment.

Liz regarda les trombes d'eau crépiter violemment sur le trottoir.

– Allons manger quelque chose au lieu de nous geler ici.

– Je n'ai pas faim, dit Peter.

– Moi non plus.

Ils demeurèrent silencieux, les yeux noyés dans le vague. La nuit descendait sur la ville et la pluie recouvrait toute chose.

L'indigestion dont Levy souffrait à l'instant lui causait des douleurs de plus en plus fortes; lorsqu'une telle mésaventure lui arrivait, il la soulageait généralement en écoutant de la musique puisqu'il s'agissait à n'en pas douter d'un trouble psychosomatique. Dans ces cas-là, il n'y avait pas de meilleur remède que le *Concerto grosso en si mineur* de Vivaldi. En entendant un grondement menaçant au fond de son estomac, il se dépêcha de retirer l'enregistrement de Bobbi du magnétophone et mit à sa place la cassette du concerto. Puis il s'assit, les mains sagement croisées sur le ventre, attendant la délivrance.

Tout en écoutant le *largo* – d'une oreille assez distraite, il faut bien l'avouer –, il songea à Bobbi, puis à Elliott, et il comprit qu'il ne lui restait qu'une seule et unique chose à faire s'il voulait clarifier la situation. Il hésita encore un moment et, lorsque sa conviction fut établie, il composa le numéro de la police.

Liz monta les escaliers, poussa la porte d'entrée et se retrouva dans le vestibule. Une salle d'attente déserte s'ouvrait sur sa droite. Elle la traversa nonchalamment, regarda autour d'elle; un bureau sur lequel trônait une machine à écrire recouverte d'une housse noire poussiéreuse prenait tout un coin de la pièce, et plus loin, des fauteuils et un sofa entouraient une table basse. Deux piles de magazines rangés sur cette table étaient à la disposition des visiteurs. Bon, se dit-elle, une fois passée en revue la décoration de la salle, il te faut maintenant te mettre en condition sinon tu ne pourras pas le tromper bien longtemps. Tu es une femme bouleversée, ne l'oublie pas. Tu as des problèmes, de vrais problèmes. Et ils sont urgents...

Elle s'assit dans un fauteuil, croisa les jambes et alluma une cigarette. Un rugissement de tonnerre éclata au-dehors. La pluie chassée par le vent faisait un bruit d'enfer contre la vitre. Elle approcha la cigarette de ses lèvres et s'aperçut que sa main tremblait. La fumée avait un goût âcre qui irrita sa gorge.

Elle entendit un bruit venant de la pièce mitoyenne. La porte s'ouvrit et Elliott apparut sur le seuil, le sourire aux lèvres.

– Mademoiselle Blake?

Elle acquiesça et le suivit dans son bureau.

– Asseyez-vous, dit-il en prenant lui-même place dans son fauteuil à bascule.

En allant vers le sofa qu'il lui indiquait, elle jeta subrepticement un coup d'œil sur le bureau. Elle n'y vit rien de spécial qui accrochât son regard, des papiers, des livres et des lettres, mais pas de registre, pas le moindre petit carnet. Et comment ferait-elle pour le compulser, en admettant qu'elle le trouve?

– C'était gentil à vous d'accepter de me recevoir aussi vite, dit-elle.

– Il se trouve que j'ai eu une annulation. D'autre part, lorsque vous m'avez parlé de votre expérience au téléphone, j'ai été prodigieusement intéressé. Comment aurais-je pu *ne pas* vous recevoir?

Derrière lui, de l'autre côté de la fenêtre, un éclair déchira le ciel de plomb.

– Ce n'est pas tant le fait d'avoir été témoin d'un meurtre...

Elle laissa la phrase en suspens, cherchant les mots qu'elle allait prononcer. Il fallait qu'ils fussent décisifs. Elle se demanda si, à ce stade, il pouvait deviner son trouble, voir qu'elle jouait la comédie.

– C'était assez moche, reprit-elle, mais ce sont surtout les cauchemars que je fais depuis ce moment affreux qui m'inquiètent énormément... (Un autre éclair creva le ciel et la fit cligner des yeux involontairement.)

– Parlez-moi de ces cauchemars, proposa Elliott.

– Ils ne sont guère réjouissants, vous savez.

– J'ai l'habitude.

Elle ferma les yeux. C'est le moment, pensa-t-elle. Vas-y carrément, sans réfléchir. Tu ne peux plus te dérober, maintenant.

– Je me trouve dans une chambre, quelque part... Vous savez, ce n'est pas facile de vous raconter directement...

– Faites comme si je n'étais pas là.

– Bien. J'essaierai. Je suis dans une pièce d'un appartement où l'on donne une réception, un dîner.

Seulement, je ne connais aucun des invités, ils me sont tous étrangers. Je mange quelque chose, je ne sais plus trop quoi... peut-être des moules ou des huîtres. Puis je sens qu'on touche ma cheville... la main de quelqu'un touche ma cheville.

– Quelqu'un vous caresse sous la table?

– Oui, c'est cela. La main commence à remonter lentement le long de ma jambe. L'impression est vraiment très étrange. Je suis assise tranquillement au milieu des invités et voilà que quelqu'un se met à me caresser. La main continue de monter, de monter... (A court d'imagination, Liz fit une pause. *Où est ce foutu registre?*)

– Poursuivez, dit Elliott. Qu'arrive-t-il ensuite?

– C'est vraiment grotesque... La main passe sous ma jupe et tout d'un coup, ce n'est plus une main c'est une bouche qui se plaque sur ma chair et qui me lèche. L'effrayant dans toute cette histoire, c'est que, bien que j'aie envie de crier et de quitter la pièce, je commence à prendre du plaisir... Les lèvres continuent à m'embrasser et à me lécher sous la table, et au bout de quelques minutes, j'ai un magnifique orgasme, si intense que je ne peux rien faire pour le refouler. Comprenez mon malaise, docteur, car tandis que je jouis je feins en même temps de participer à la conversation générale...

Elliott réfléchit un moment.

– Pourquoi appelez-vous cela un mauvais rêve? Qu'est-ce qu'il y a là d'effrayant?

– C'est un cauchemar parce que ça sort de l'ordinaire, tout est si faussé, surtout après le changement...

– Comment le rêve change-t-il?

– Je suis seule dans une pièce, peut-être est-ce la même pièce, peut-être pas, je ne sais plus. Peu-

importe. Je suis seule et des mains m'attachent à une table à l'aide d'une corde très mince. Je suis si étroitement liée que la corde pénètre dans ma chair et me fait horriblement souffrir... Ensuite tous les types me passent sur le corps, et chaque fois que l'un d'entre eux me viole, la douleur augmente jusqu'à l'insupportable.

Elle s'arrêta un instant pour vérifier sur l'expression d'Elliott la solidité de son histoire à dormir debout. Elle constata avec surprise qu'il la fixait intensément, comme s'il buvait ses paroles.

– Croyez-moi, ça faisait mal. Je suis experte en mal.

– Qu'est-ce qui vous rend experte en mal?

– Je vais vous le dire carrément, docteur. Je suis une prostituée. Vous me l'avez demandé, je vous réponds.

– Vous aimez ce que vous faites?

– Oui, parfois. J'aime l'idée que je suis capable de tourner la tête d'un homme.

– Vous arrive-t-il de coucher avec quelqu'un sans recevoir d'argent?

– Vous arrive-t-il de donner des consultations gratuites?

– Ce n'est pas tout à fait la même chose, non? dit Elliott, surpris par cette repartie.

– Je ne sais pas. Je ne vois pas beaucoup la différence.

Il sourit et prit le presse-papiers.

– Cela me procure une sorte de plaisir particulier, continua Liz. Quand je séduis un type, je me sens plus forte, plus confiante. (Et elle croisa ostensiblement les jambes.)

Elliott laissa tomber le presse-papiers, son regard descendit sur la cuisse passablement dénudée.

Liz fit semblant de ne pas remarquer le manège.

– Revenons un peu aux cauchemars, dit Elliott en s'ébrouant. Pourquoi croyez-vous qu'il existe un lien entre eux et le meurtre auquel vous avez assisté?

– C'est vous le spécialiste. C'est à vous de me dire s'ils sont liés au meurtre.

– Difficile à affirmer. Quelquefois le traumatisme...

Il s'arrêta brusquement comme si une idée – qu'il ne parut guère apprécier – lui avait traversé l'esprit.

Tout en gardant les yeux fixés sur lui, elle se dit que l'agenda ne se trouvait peut-être pas dans son bureau, qu'il pouvait tout aussi bien être enfermé dans un tiroir du bureau d'à côté. Il lui fallait absolument trouver un stratagème pour s'éclipser dans la salle d'attente.

Ta seule arme, mon chou, c'est ton corps.

Elliott la regardait toujours fixement, mais ses yeux semblaient cette fois plongés dans le vague. Liz étira ses longues jambes afin de découvrir un peu plus la pâle chair de ses cuisses.

– Est-ce que je *vous* tourne la tête, docteur?

La question le prit au dépourvu. Il fronça les sourcils et tourna la tête.

– Cela vous ferait-il plaisir de savoir que oui?

– Comme je vous l'ai dit auparavant, ça me met en confiance. De toute façon, je préfère les hommes plus mûrs, plus paternels. Mais peut-être que vous ne me trouvez pas intéressante du tout?

– Je n'ai pas dit cela.

– Alors pourquoi n'entreprenez-vous pas quelque chose?

– Ecoutez, je suis marié...

– La plupart de mes clients le sont, dit Liz.

Quelques-uns d'entre eux sont même des médecins.

Il la regarda de nouveau. Un troisième éclair traversa l'orage et, durant un bref instant, elle aperçut ses traits illuminés dramatiquement par la lueur. Mais était-il en colère, ou au contraire charmé par l'invite ouvertement adressée, elle n'aurait su le dire. Peut-être éprouvait-il tout simplement un intérêt... clinique? Professionnel? Elle songea à la salle d'attente, au bureau de la secrétaire. Si seulement elle pouvait aller y jeter un coup d'œil.

Mais comment? Sous quel prétexte?

– Ecoutez, ne sommes-nous pas en train de nous égarer? dit Elliott.

– J'adore votre accent. Il est exquis. (*Exquis*; elle détestait ce mot.)

– C'est vraiment très gentil à vous de le remarquer, je vous en remercie.

– Mais je le pense du fond du cœur.

Elle se leva et marcha lentement vers lui. Elle entoura ses épaules, mais il la repoussa gentiment.

– Comprenons-nous bien. Vous êtes venue ici à cause de certains problèmes psychologiques...

– C'est vrai, mais un exercice un peu plus fondamental que la psychiatrie pourrait les résoudre, doc.

– J'ai de la peine à le croire.

Il y avait au fond de ses yeux une lueur glaciale, une pointe d'acier. Un désir tout-puissant semblait monter en lui, qu'il avait peur de laisser déborder.

Il lui sourit tristement.

– Je dois obéir à un certain code de déontologie.

Je m'interdis tout rapport sexuel avec mes patientes.

– J'en suis une?

– Je commence sérieusement à me demander si j'avais besoin de vous comme patiente.

Elle se pencha vers lui, aguichante.

– Je pourrais être plus qu'une simple patiente, vous savez...

Il tourna la tête de côté et elle aperçut de la transpiration sur son front. Elle pensa : je suis sur la bonne voie. Il ne tardera pas à déclarer forfait.

Elle posa la main sur sa joue, attira son visage à elle et l'embrassa à pleine bouche. Il lui rendit un étrange baiser, un baiser de glace, inerte. Une fois de plus, il la repoussa sans grande conviction.

– Je vous ai dit...

– Je pense que vous n'y tenez plus. Je suis persuadée que vous n'aimeriez rien tant que me sauter sur place, ici même. Vous aimeriez m'ôter les vêtements très, très lentement, n'est-ce pas? Caresser mes tétons, mes seins? Ou peut-être préféreriez-vous que je me déshabille devant vous et que je vous monte dessus? C'est ma spécialité, je vous assure. Je suis très bonne à ce jeu-là. Je vais vous faire bander en un rien de temps.

– Non, supplia-t-il, je ne veux pas discuter...

– Je connais aussi quelques trucs exotiques, ajouta-t-elle. Des choses que votre femme n'a jamais imaginées, je parie. Laissez-moi faire et je vous sortirai un peu de votre prison...

Elle caressa sa poitrine, défit un bouton de sa chemise, mais il fit un pas en arrière, le souffle oppressé et le front en sueur.

– Vous êtes raide, n'est-ce pas? Votre sexe est dressé, je le vois. Vous êtes prêt...

– Non!

– Ne tournez pas autour du pot, doc. Ne faites pas l'idiot avec moi.

Elle défit son corsage et le laissa tomber à terre. Il la regarda faire sans bouger. Maintenant, il me désire, il n'y a plus de doute, pensa-t-elle. Elle dégrafa aussi sa jupe qui glissa avec un bruit de soie. Vêtue de ses seuls soutien-gorge et slip, elle s'approcha de lui en balançant les hanches outrageusement.

– Eh bien, comment me trouvez-vous?

– S'il vous plaît...

– Quoi?

Il passa derrière son bureau comme pour y chercher refuge et se protéger des attaques de Liz.

– Pour l'amour du ciel, remettez vos vêtements. *S'il vous plaît.*

– Je vous fais effet, non? Ne me dites pas que vous n'aimez pas ce que vous avez sous les yeux!

Les mains posées à plat sur le rebord du bureau, il baissa le front honteusement; il semblait ravagé par une souffrance cachée. Elle ressentit fugitivement de la pitié pour lui, une tristesse indéfinissable. Peut-être désire-t-il à tout prix rester fidèle à sa femme, se dit-elle.

Mais elle se souvint aussitôt de la morte dans l'ascenseur, de la blonde aux lunettes noires, et ses hésitations s'évanouirent comme neige au soleil. Il protège une meurtrière, pensa-t-elle. Je ne vais tout de même pas me faire du souci pour lui alors que la blonde veut me tailler en pièces!

– Ah, je vois ce que c'est, dit-elle. Vous avez honte, c'est cela?

Les yeux clos, il hocha la tête misérablement.

– Oui, j'ai honte, dit-il enfin d'une voix étranglée.

– Rassurez-vous, je suis très compréhensive. Si vous y tenez, je vous offre une pause.

Il ouvrit les yeux et la regarda avec curiosité.

– Je vais attendre un moment dans l'autre pièce. Je reviendrai dans quelques minutes et si vos vêtements ne sont pas posés à côté des miens, on oublie toute l'histoire, d'accord?

Durant une fraction de seconde, elle eut le sentiment qu'il allait lui jeter sa jupe au visage, ou la frapper, tant son expression fut chargée de haine. Elle s'écarta de lui, ouvrit la porte et passa dans la salle d'attente.

Elle alla au bureau.

Elle ouvrit un tiroir.

Des papiers, des agrafes, une vieille pomme toute ratatinée. Des rubans de machine à écrire, des mouchoirs en papier, un élastique à cheveux, des factures.

Où est ce satané carnet?

Où?

Peter ne sentait plus la pluie glacée. Les vêtements collés à la peau, il ignorait totalement la morsure du froid et les bourrasques de pluie. Il avait un pressentiment et regrettait amèrement de ne s'être pas opposé au projet de Liz. Mais elle s'était montrée intraitable et, de son côté, son esprit d'habitude si fertile n'avait trouvé aucune idée de rechange. Il l'avait laissé partir le cœur noué d'inquiétude. *Je mets la main sur le registre, je prends les noms et je sauve ma peau. Marino n'aura plus rien à me reprocher.*

Et Liz l'avait prévenu. *Tu restes en dehors de tout*

ça, d'accord? Je ne veux pas que tu te mêles de ce qui va se passer!

Comment avait-il pu accepter sans rechigner de la laisser partir à l'aventure?

Aussi, quelques minutes après que Liz eut disparu à l'intérieur du bureau d'Elliott, il s'était précipité chez lui, avait pris ses jumelles et était ressorti aussitôt. Il avait eu le temps d'apercevoir, par la porte entrebâillée de la chambre à coucher de sa mère, Mike allongé sur le lit, endormi tout habillé. Une bouteille de scotch à moitié vide traînait sur la table de chevet. Pauvre Mike, avait-il pensé; il lui faut boire pour oublier.

Maintenant, en faction devant l'entrée du bureau d'Elliott, il vit Liz ôter ses vêtements. Pendant un instant, il n'en crut pas ses yeux; dans une sorte d'état second, incapable de penser, il se contenta de remarquer qu'elle avait un corps magnifique, au moins aussi beau que ceux qu'il regardait parfois à la dérobée dans *Playboy* ou *Gallery.* Mais qu'était-elle en train de faire? Il essuya les oculaires sur ses manches et reprit son observation. Liz sortit du bureau d'Elliott, et donc de son champ de vision. Il reporta alors sa curiosité sur Elliott qui, debout au milieu de la pièce, immobile, semblait attendre quelque chose. Enfin, il bougea et ouvrit un placard.

Il ouvrit un placard et...

Mais la pluie violente brouillait la vue et il dut une nouvelle fois essuyer les verres. Il pointa les jumelles sur la fenêtre et aperçut en gros plan le visage du psychiatre à travers les lames du store.

Qu'est-il en train de fabriquer?

Que fait-il dans ce placard?

Peter regardait si intensément la scène qui se

déroulait dans le bureau, de l'autre côté de la rue, qu'il ne vit pas une voiture se garer lentement le long du trottoir, puis une femme blonde en descendre.

Liz mit la main sur le carnet dans le tiroir du bas. Hier, se dit-elle en l'ouvrant au hasard. C'est hier que Peter a pris les photographies. C'est bon, tu n'as plus qu'à lire les noms; l'un d'eux appartiendra forcément à la meurtrière. Elle feuilleta le registre à la hâte tout en ayant conscience qu'une soudaine vague de froid emplissait la pièce. L'esprit subitement vide, elle n'arrivait plus à penser, à calmer ses gestes maladroits. Quelle était la date d'hier, bon Dieu? Je n'arrive plus à me souvenir! Quel jour était-ce? Mercredi? Jeudi? Elle continua désespérément à tourner les pages du carnet, s'attendant à tout instant à voir Elliott surgir dans l'embrasure de la porte.

Je dois la tuer. Je n'ai pas le choix. Elle doit mourir. Elle aurait déjà dû être morte.

Peter passa la lanière des jumelles autour de ses épaules. Un étrange et lancinant malaise l'oppressait. Liz n'avait toujours pas reparu. Pourquoi? Où avait-elle bien pu disparaître? Qu'est-ce qui la retenait? Peut-être était-elle blessée ou en difficulté? Il hésita puis, sa résolution prise, traversa la chaussée.

Elliott avait abandonné ses vêtements auprès de ceux de Liz, soigneusement pliés. Puis il ouvrit le placard et regarda les cintres. Il tendit l'oreille. Elle faisait quelque chose dans la pièce d'à côté, elle tournait des pages. Un magazine probablement. Il inclina la tête vers la porte, prêta l'oreille une minute, puis tendit la main vers l'intérieur du placard.

Elle est ici. Elle doit mourir. Sa mort est nécessaire. Cette fois-ci je ne raterai pas mon coup. Le rasoir au manche de nacre fera son travail cette fois-ci.

Peter atteignit le perron.

Trop tard.

Une fraction de seconde trop tard.

Une main surgit du néant et se plaqua sur sa bouche. Les cheveux dressés sur le crâne, il essaya de se dégager et de mordre les doigts qui emprisonnaient ses lèvres, et aperçut dans la lutte perdue d'avance une grande femme blonde. Sans ménagement, elle le fit pivoter vers la porte. Etouffé par la main de fer, il sentit ses tempes palpiter et l'obscurité fondre sur lui. La blonde l'obligea à monter les escaliers. Elle ouvrit la porte silencieusement. Peter eut conscience de se trouver dans un vestibule, mais il avait un mal terrible à respirer tant elle le tenait serré contre elle.

La blonde referma la porte avec d'infinies précautions sans relâcher la pression sur la bouche de Peter.

Liz trouva enfin la page. La liste comprenait environ une demi-douzaine de noms, et l'un d'eux était forcément celui de l'assassin. Il ne lui restait plus qu'à déchirer la page et à la donner à Marino. La suite faisait partie de ses attributions de gardien de l'ordre. Elle déchira le feuillet sans hésitation. La porte du bureau d'Elliott s'ouvrit alors qu'elle allait cacher la page dans son slip.

Comme piquée par une guêpe, elle retira vivement sa main, cherchant désespérément une excuse qui ferait passer sa curiosité pour une plaisanterie sans conséquence. Je furetais un petit peu, ha ha; je n'ai jamais pu m'empêcher de fouiner, doc. Il y a des gens comme cela et c'est aussi ma nature, pour ne rien vous cacher, ha ha...

Elle se retourna, l'air aussi détaché que possible.

Elle s'attendait à voir Elliott debout sur le seuil.

Elle s'attendait à...

Le rasoir s'éleva en jetant des éclairs. Il semblait suspendu en l'air comme une épée de Damoclès qui aurait arrêté le temps avant de s'abattre sur la victime. Liz suivit des yeux la brillante lame d'acier qui dessina une courbe, elle vit les cheveux blonds de la femme curieusement posés de travers sur son crâne, elle aperçut la robe, les jambes glabres sous le tissu, les pieds nus et l'étrange balafre informe du rouge à lèvres en travers de la bouche.

Oh! mon Dieu.

Elle balança la tête de côté juste au moment où le rasoir s'abattait sur elle. Dans le mouvement, sa colonne vertébrale heurta durement le coin du bureau et elle gémit de douleur, s'effondra par terre et essaya tant bien que mal de couvrir son visage. Elle vit les pieds nus faire un pas en avant dans sa direction, leva les yeux et aperçut dans ceux de la blonde une lueur de démence et de haine. Le rasoir fondit sur elle, coupa l'attache de son soutien-gorge, laissant une plaie vive sur sa chair.

Tu dois mourir. Bobbi doit te tuer. Tu en as trop vu.

Elle rampa vers la porte. Derrière elle, les pieds nus se posaient avec un bruit feutré sur la moquette. Crie, crie, crie! Bon Dieu, pourquoi ne peux-tu pas pousser un cri? Une main attrapa l'élastique de son slip et tira dessus; elle roula sur le côté et, les yeux écarquillés d'horreur, elle vit le rasoir descendre vers sa gorge.

Elle ferma les yeux.

Il y eut un bruit, quelque chose que, d'abord, elle ne comprit pas. Elle ne ressentait aucune souffrance particulière, sa gorge n'était pas tailladée et le sang ne coulait pas sur le tapis. La voix aiguë de Peter frappa ses oreilles, mais elle semblait aussi ténue et ondoyante que dans un rêve. Elle eut un vertige, sa tête roula de côté et elle vit Peter penché sur elle tandis qu'une femme traversait la pièce avec un pistolet dans la main – sa chevelure blonde trempée par la pluie lui retombait lourdement sur le front – et regardait Elliott. Ce dernier, couché sur la moquette, tenait son épaule blessée et gémissait de douleur.

Elle ferma les yeux.

Le cri qu'elle voulait émettre mourut dans sa gorge. Sa vue que le vertige brouillait capta des détails de la scène; Elliott grognant, et cette perruque blonde abandonnée à quelques pas de lui et qui avait l'air d'un grotesque oiseau avachi.

Peter se pencha sur elle.

– Vous allez bien?

Elle hocha encore le menton. Elle eut brusquement envie de rire, mais rien ne passait sa gorge.

– Tout va bien, dit Peter. C'est fini.

C'est fini, pensa-t-elle. *C'est fini.*

Fini.

8

– Je m'excuse vraiment pour le café, dit Marino avec une petite grimace d'excuse. Je sais qu'il est plutôt infect, mais que voulez-vous, la caisse du département ne nous permet pas de folies.

Liz le regarda d'un air mauvais.

– Je crois surtout que vous voulez vous faire pardonner plus que ce mauvais café, Marino.

Il leva la main d'un signe de capitulation.

– C'est bon, je suis désolé. Voilà, c'est fait.

– Désolé? Bon Dieu, Marino, j'ai failli être tuée!

Il la regarda d'un air de dire : ce sont des choses qui arrivent.

Liz but une gorgée de son café et fit la moue.

– J'ai besoin d'une cigarette pour faire passer ce breuvage. Quelqu'un en a-t-il une pour moi?

Marino poussa son paquet vers elle.

– Vous n'en avez pas avec filtre? demanda Liz.

– Fumeur de Camel un jour, fumeur de Camel toujours.

Ne recevant aucune autre proposition, elle alluma la cigarette et toussa. De l'autre côté de la vitre, l'obscurité la plus totale régnait sur la ville. Elle sursauta de frayeur lorsqu'un éclair déchira le noir absolu de la nuit. Elle ferma les paupières quelques secondes; quand elle les rouvrit, elle capta un sourire fugace sur les lèvres de Marino. Comment ce salopard pouvait-il encore avoir le courage d'être assis tranquillement et de sourire après ce qui s'était passé?

Elle tira une nouvelle bouffée de sa cigarette en essayant de cacher le tremblement de ses mains.

Elle savait que l'inspecteur ne perdait rien de la scène, et sa colère augmenta. Elle détourna les yeux de Marino et observa la grande femme blonde qui avait tiré sur Elliott. De l'autre côté du bureau se tenait assis un petit homme rondouillard, un certain Dr Levy. Elle eut l'étrange impression qu'ils étaient tous réunis dans cette pièce pour assister à une séance de spiritisme, qu'à tout moment un spectre pouvait apparaître et leur raconter ce qui se passait dans l'autre monde. Elle étouffa de justesse le rire qui montait dans sa gorge.

Marino montra la femme blonde du doigt.

– Voici Betty Luce. L'une de nos meilleures jeunes policières.

– Je devrais vous remercier pour votre arrivée miraculeuse, dit Liz en la regardant froidement. Le seul problème, c'est que je ne ressens vraiment pas l'envie de remercier qui que ce soit en ce moment.

– J'avais ordonné à Betty de ne pas vous lâcher d'une semelle, Liz, expliqua Marino. (Il bâilla sans même prendre la peine de couvrir sa bouche et Liz eut le temps d'apercevoir ses plombages.) Elle m'a notamment informé qu'elle vous avait perdue dans les parages de Columbus Circle.

– Alors, quand je vous ai raconté que j'avais failli être assassinée dans le métro, vous avez naturellement pensé que je ne jouais pas franc-jeu, c'est ça?

– Quelque chose comme ça, oui, avoua Marino. Comment diable pouvais-je deviner qu'une autre blonde vous suivait?

– Ben voyons! Vous avez préféré vous dire : voilà une poulette à l'imagination plutôt active!

Marino haussa les épaules et se contenta d'avaler

une gorgée de café. Il sourit de nouveau. Bon Dieu, pensa-t-elle, il est tout sourire, ce soir, le salaud, l'infect salaud! A cet instant, la sonnerie du téléphone retentit dans la pièce chargée d'électricité. Marino décrocha, adressa quelques paroles concises à une personne nommée Mary, puis raccrocha.

– Ma bourgeoise, expliqua-t-il. Elle vient de me passer un savon; elle pense que je ne devrais pas rester si tard au bureau. Elle a peut-être raison.

Liz reposa le gobelet de carton et écrasa sa cigarette. Marino soupira, griffonna sur son buvard, puis rejeta son stylo d'un geste las.

– Voudriez-vous tout de même m'expliquer ce qui cloche avec ce type, Elliott? demanda Liz.

Le Dr Levy, les pouces fourrés à l'intérieur des poches de son gilet, s'anima brusquement.

– C'est à la fois simple et compliqué, dit-il.

– Le simple suffira, rétorqua Liz.

– Disons, pour résumer l'histoire en quelques mots, qu'il était un transsexuel sur le point de franchir le dernier pas. Mais son côté mâle ne le lui aurait pas permis.

Marino paraissait s'ennuyer au plus haut point. Il commença à se curer les dents avec une allumette.

– Voudriez-vous être plus explicite? demanda Liz.

Levy sortit de sa poche revolver une pipe qu'il débourra sur le bureau sans la moindre gêne. Marino regarda les cendres s'accumuler en un petit tas d'un air désapprobateur.

– Je vais m'y prendre autrement, dit Levy. Cela aura peut-être un sens pour vous.

Il s'exprimait d'un ton paternaliste et condescendant qui déplut souverainement à Liz.

– J'essaierai de faire en sorte que mon petit cerveau se montre à la hauteur.

Le psychiatre ne parut pas relever le sarcasme, ou l'ignora tout simplement.

– Il y a au départ deux personnalités distinctes. Bobbi d'un côté, et Elliott de l'autre. Bobbi vint me trouver pour que j'approuve l'opération de changement de sexe qu'elle réclamait. Au cours des séances, j'ai remarqué qu'elle – qu'il – était instable. Une schizophrène avec une personnalité mâle à l'intérieur d'elle. Vous suivez jusque-là?

Liz hocha la tête tout en ressentant brusquement une énorme fatigue peser sur ses épaules. Ses paupières devenaient de plus en plus lourdes.

– Ensuite, Elliott est venu me voir. C'était la première fois que je rencontrais le *moi* mâle de Bobbi. Et, à mes yeux, il devint parfaitement clair qu'il n'avait aucune idée de l'existence de Bobbi à l'intérieur de lui. Les deux *moi*, si vous préférez, s'ignoraient totalement. Quand Elliott m'eut dit qu'il croyait Bobbi responsable du meurtre de Kate Myers, en fait il confessait – pour ainsi dire – qu'il l'avait tuée. Lui. C'est alors que je suis entré en contact avec Marino.

Liz se tourna avec fureur vers ce dernier.

– Vous saviez? Vous étiez au courant? Et vous m'avez quand même laissé pénétrer chez lui? Vous avez vraiment décroché la palme, Marino, vous savez?

– Du calme, du calme, dit ce dernier. Il se trouve que j'étais à un match avec mes enfants au même moment. Quand, en fin de compte, le Dr Levy m'a raconté son histoire, vous étiez déjà chez Elliott. J'ai alors expédié Betty Luce. Vous pouvez remercier le ciel que je l'aie envoyée aussitôt...

– C'est ça! Je vais réciter une action de grâce cette nuit avant de me coucher, dit-elle en se renfonçant dans son fauteuil.

Un lourd silence s'établit dans la pièce.

– De toute façon, pourquoi Kate Myers s'est-elle fait tuer? demanda Liz.

Levy regarda l'heure à sa montre et s'éclaircit la gorge.

– Premièrement, parce que Bobbi voulait punir Elliott du refus qu'il lui avait opposé concernant le changement de sexe. La seconde raison, évidemment, est qu'Elliott a été excité par la pauvre femme – et l'érection de son pénis a rappelé à Bobbi l'existence en elle d'un *moi* mâle, d'un organe haï.

Liz regarda Marino qui, les yeux fermés, se curait les dents avec application, l'air de s'ennuyer prodigieusement.

– Il ne me reste plus qu'une seule question, Marino, dit-elle en se tournant vers lui. Si vous êtes toujours éveillé, bien sûr.

Le policier ouvrit péniblement les paupières.

– Envoyez.

– Comment Bobbi – ou Elliott – a-t-elle obtenu mon adresse? Comment se fait-il qu'elle ait su où me trouver?

Durant un moment, Marino ne fit pas le moindre geste. Puis il ouvrit lentement un tiroir de son bureau, tira un dossier qu'il poussa vers elle.

– Votre histoire, Liz. L'enregistrement par écrit de votre témoignage.

– Je ne comprends pas, dit-elle.

– La nuit du meurtre, j'ai interrogé Elliott ici même. Et j'ai laissé imprudemment ce dossier sur mon bureau en sa présence. Je suppose qu'il y a jeté un coup d'œil sans que je le remarque.

– Simple, hum? Et moi qui croyais qu'il avait des pouvoirs magiques. Vous savez, Marino, qu'à cause de vous j'aurais pu être tuée deux fois?

– Oui, mais ce n'est pas arrivé.

Liz se leva. Tout son corps criait de fatigue. Elle posa ses mains à plat sur le bureau et se pencha vers Marino.

– Dites-moi, monsieur l'inspecteur.

– Tout ce que vous voudrez.

– Avez-vous vraiment pensé que j'avais tué Kate Myers?

– Je préfère garder ce genre de spéculation pour moi, Liz. Appelez ça un secret professionnel, si vous voulez.

Elle soupira et se dirigea vers la porte.

– Je peux donc retourner en sécurité à mon appartement, maintenant?

– Elliott est enfermé, dit-il. Nous pouvons seulement espérer que quelqu'un perdra la clef. Mais le moins que je puisse faire pour vous, Liz, c'est de vous faire raccompagner chez vous.

– C'est en effet le moins que vous puissiez faire, lieutenant Marino. Et ce n'est pas grand-chose.

– C'est mieux que rien.

Elle dormit d'un sommeil de plomb, sans fond, sans rêves, le genre de sommeil dans lequel on s'abandonne définitivement à l'obscurité qui est une véritable délivrance, un cocon de douceur et de néant. Quand elle s'éveilla, le soleil pénétrait à flots dans la pièce. Elle se sentait magnifiquement reposée. Elle se prépara du café, fuma une cigarette, puis chercha dans son carnet d'adresses le numéro de téléphone de Peter. Il répondit aussitôt, comme s'il attendait son appel.

Elle lui expliqua brièvement ce qu'elle avait appris sur le compte d'Elliott en espérant que le garçon ne lui poserait pas des questions auxquelles elle ne saurait répondre. Mais, comme à son habitude, il n'en fit qu'à sa tête. Ah, quelle petite cervelle curieuse, se dit-elle. Toujours en éveil, toujours à fureter.

– Je ne comprends pas... Je veux dire, pourquoi un homme voudrait-il être une femme?

– Ecoute, répondit-elle, ce n'est pas si mauvais que ça d'être une femme.

– Peut-être, mais je n'aimerais pas en être une.

– Elliott, oui. Ou du moins, une partie de lui.

– Et comment cela peut-il arriver?

– Une histoire d'hormones, je pense.

Il garda le silence pendant un moment.

– Oui, j'ai lu quelque chose à ce sujet. Les hormones sont produites par des cellules vivantes qui circulent à travers les liquides du corps...

– Oui, je suis sûre que tu as raison, petit.

– Alors quel effet des hormones auraient-elles sur un toqué comme Elliott?

– Eh bien... par exemple elles font que la barbe cesse de pousser. La peau devient plus douce. Et au bout de quelque temps les seins commencent à se développer.

– Ça me soulève le cœur, tout ça.

– Le dernier stade, c'est celui de l'opération. On enlève le pénis...

– Brr, ça me fait tout drôle. J'ai presque envie de croiser mes jambes.

– Tu veux que je poursuive?

– Bien sûr.

– D'accord. Les organes génitaux de l'homme sont coupés, et on creuse un vagin artificiel.

– Ah bon! je pensais que les transsexuels étaient des homosexuels.
– Non, ce n'est pas du tout pareil. Ils ne veulent pas être des hommes couchant avec d'autres hommes, Peter, mais des *femmes* couchant avec des hommes.
– Je crois que j'en ai assez entendu, dit Peter. Que va-t-il arriver à Elliott, maintenant?
– Il a été envoyé en prison. Je doute fort qu'il soit jamais considéré assez sain d'esprit pour comparaître devant un tribunal. Ce qui est un soulagement; ça m'évitera de témoigner.
– J'espère qu'on l'enfermera pour la vie.
– Moi aussi, crois-moi. (Elle chercha une cigarette dans son paquet, mais il était vide.) Dis, Peter, je vais me languir de toi, tu sais. Si on déjeunait ensemble la semaine prochaine, qu'en penses-tu?
– J'aimerais beaucoup. Vraiment.
– C'est bon, petit. Je t'appellerai.
– Vous me promettez?
– Je tiens toujours mes promesses.
Elle raccrocha et alla s'asseoir dans la cuisine. Curieux comme en si peu de temps elle et le gosse s'étaient pris d'affection. Elle n'était pas assise depuis une minute que le téléphone sonnait déjà. C'était Max.
– Je ne sais pas ce que je vais faire avec toi, Liz. Tu as promis de m'apporter du liquide, tu te souviens? J'attends toujours et je ne vois rien venir.
– J'allais justement venir te voir, Max.
– Est-ce que je peux te croire?
– Je te le jure sur mon honneur, mon chou. Je serai chez toi dans environ une heure.

– Pourquoi est-ce que je baisse toujours les bras avec toi, tu veux me le dire?

– Parce que secrètement tu as une passion dévorante pour moi.

– Comment as-tu deviné?

– Je le sais à la façon dont tu me regardes.

– Ah bon Dieu! j'ai toujours su que j'avais le cœur sur la main.

– Dans une heure, dit-elle.

– Dans une heure. Ça va me sembler une éternité.

Elle rit et raccrocha.

Elle alla vers la fenêtre et regarda la rue ensoleillée. Oui, pensa-t-elle, le mauvais rêve avait pris fin. Définitivement. C'est comme si le poids qui pesait sur sa poitrine depuis quelques jours s'était dissipé.

Parfois, tu peux te sentir bien. Tu te sentiras bien, songea-t-elle en observant le trafic de la rue.

Ténèbres. Froid. Comme de flotter dans un réservoir d'eau. Tressaillir. Les yeux s'ouvrent. Une chambre obscure. Quelque part une lumière, pas plus grosse qu'une piqûre d'épingle. L'intérieur d'une caméra. Et les rêves. Des rêves de souffrance.

Ce minuscule point lumineux.

Qu'était-ce?

Quelle était cette petite lueur?

Une douleur dans l'épaule?

Qu'est-ce qui faisait aussi mal?

Elle ne put se souvenir. Elle ne put même pas se souvenir de son nom.

De rien.

Essaie. Essaie de te rappeler.

Tu ne devrais pas porter les vêtements de Cecilia...

Elle remua, bougea la tête. Elle se concentra sur cette lumière.
Une ombre passa devant le rai de lumière et l'obscurcit. L'ombre bougea encore.
Les vêtements de Cecilia...
Anne.
Je ne peux m'accommoder de ceci que jusqu'à un certain point, Robert... Je ne peux pas continuer à flatter bassement tes goûts douteux... Ce n'est plus un mariage, c'est une parodie, un travestissement... Sais-tu ce que je ressens... Sais-tu combien cela m'affecte de te voir habillé ainsi...?
Tu es malade.
Malade et perverti.
Anne. Robert. Que signifiaient ces noms? Pourquoi ces échos déconnectés?
J'ai connu une fois deux personnes, Anne et Robert. Et ils n'étaient pas très heureux ensemble. Quelque chose a cloché entre eux... Quelque chose n'allait pas.
La lumière. Cette lueur. Le contour de la tête de quelqu'un devant cette lumière.
Mon nom.
Mon nom...
Elle se redressa en essayant de percer l'obscurité.
Bobbi!
Je suis Bobbi.
Mais...
Quelqu'un là-bas, au delà de cette sombre pièce, ne croit pas que je suis Bobbi.
Des drogues. Ils ont dû me faire des piqûres.
Une faiblesse dans les bras. Douleur.
Tu n'es pas heureuse ici, n'est-ce pas, Bobbi?
Non, tu ne veux pas rester ici, n'est-ce pas?
Tu désires être ailleurs.

Va. Va-t'en ailleurs.

Elle suivit des yeux l'ombre qui bougeait devant la lumière. Puis il y eut des pas, des roues grinçant sur le plancher de bois dur. Une odeur de médicament. Un antiseptique.

Un hôpital?

Que fais-tu dans un hôpital, Bobbi?

Sauve-toi d'ici. Trouve un moyen de partir.

Clic clic clic clic.

Les roues.

Quelqu'un bouge à travers la pièce.

Le contour d'une personne devant le lit. Arrêt. Une respiration feutrée, une odeur de produit pharmaceutique.

Tu n'es pas heureuse ici, Bobbi; tu n'es pas heureuse dans cet endroit parce que tu dois faire quelque chose dans un autre endroit

Tu dois y aller

Essaie de te souvenir

Une fille

Jolie

Tu es un garçon, Robert. Tu ne comprends donc pas? Tu dois faire ce que font les garçons. La prochaine fois que tu prendras les effets de Cecilia, je te punirai sévèrement.

L'ombre se pencha dans l'obscurité. A peine visible.

Un bruit métallique. Quoi? Des clefs?

Pourquoi t'ont-ils enfermée ici, Bobbi?

Es-tu prisonnière?

Un petit éclair de lumière.

Elle ferma les yeux. Elle entendit le faible bruit d'un liquide qu'on éjecte d'une seringue hypodermique. Une main toucha son bras. Une main tira son bras vers le haut.

Mais tu n'es pas heureuse ici, Bobbi.
Le contact d'une aiguille. Une douce respiration. La respiration d'un bébé.
Vite maintenant.
Ce doit être fait rapidement.
Avant que la chance ne te quitte. Avant que l'occasion soit perdue.
La gorge est douce au toucher. Très douce. Elle cède sous la pression des doigts. Elle cède et s'abandonne.
Tu entends quelque chose de léger tomber sur le sol.
Un hoquet.
Un faible gémissement, un bref soupir.
Ensuite le silence, puis la vue du faible rai de lumière quelque part dans le lointain.
Lève-toi. Lève-toi, Bobbi.
Oublie la douleur et lève-toi.
Oublie combien tu souffres.

L'infirmière vêtue de son uniforme blanc et la tête couverte de sa coiffe franchit les dernières marches de l'escalier du métro menant à la surface. L'air de la nuit était vif, mais elle ne parut pas le sentir. Elle s'arrêta devant le kiosque à journaux et jeta un coup d'œil sur un gros titre. Il parlait d'une crise au Proche-Orient. C'est à peine si elle le remarqua. Un peu plus bas s'étalait la photographie d'un homme – le visage lui sembla familier, mais elle savait qu'elle ne pouvait pas le connaître. Elle lut les premiers mots du titre UN PSYCHIATRE ARRÊ... puis, haussant les épaules, elle traversa la rue.
Elle pénétra dans l'immeuble.
Elle appuya sur le bouton d'appel de l'ascenseur.

La cabine vint, elle entra à l'intérieur. L'ascenseur s'éleva lourdement. Elle ferma les yeux. Un profond sentiment de paix l'envahit. La cabine s'arrêta enfin après une dernière secousse. Elle sortit et longea sans hésitation le couloir du sixième étage. Durant un fragment de seconde, elle oublia pourquoi elle était ici, ainsi que le numéro de l'appartement qu'elle cherchait depuis son départ de l'hôpital.

Réfléchis un moment, cela te reviendra.

Appartement... quoi?

Ah, elle se souvenait. 63.

Elle poursuivit son chemin, s'immobilisa devant la porte du numéro 63, et fixa un instant l'œilleton. Elle hésita, puis leva la main et frappa doucement sur le panneau de bois.

Elle attendit.

De l'intérieur lui parvint un bruit de pas.

Liz reposa son tube de rouge à lèvres et consulta sa montre. Elle avait un rendez-vous à 9 heures. Si elle ne se dépêchait pas, elle serait en retard. Quand elle entendit les coups sur la porte d'entrée, elle se regarda une dernière fois dans la glace, plissa les lèvres, puis traversa le salon. Une sirène ulula dans le lointain.

Elle colla son œil au judas.

Une infirmière. Que venait faire une infirmière chez elle?

Sans ouvrir la porte, elle dit :

– Oui, qu'est-ce que c'est?

– Je ne veux pas vous déranger, dit la femme dans le couloir. Je recueille simplement de l'argent pour une œuvre de charité...

– Oh, bien sûr.

Liz ôta la chaîne de sûreté et ouvrit la porte.

L'infirmière fit un pas à l'intérieur.
Liz sourit, se tourna pour fouiller dans son porte-monnaie.
– Je crois que j'ai deux dollars quelque part. Est-ce que ça suffira?
Elle leva le porte-monnaie puis, dans la glace, elle vit l'infirmière ôter son couvre-chef, elle vit la tête rasée et le sourire vide, puis cette figure pâle avancer vers elle.
C'est un rêve, pensa-t-elle.
Un mauvais rêve.
Dans un moment elle s'éveillera.
A tout moment, maintenant, elle peut ouvrir les yeux et le cauchemar se dissipera.
Mais le réveil n'avait pas encore commencé.

Cinéma

ːt télévision

ʼes dizaines de romans J'ai Lu ont fait l'objet ʼadaptations pour le cinéma ou la télévision. ʼous y retrouverez vos héros, vos amis, vos rêves...

ʼemandez à votre libraire le catalogue semestriel gratuit.

ʀSENIEV Vladimir
ersou Ouzala (928 * * * *)
ɴ nouvel art de vivre à travers la steppe ɓérienne.

ARCLAY et ZEFFIRELLI
sus de Nazareth (1002 * * *)
ɛcit fidèle de la vie et de la passion du hrist, avec les photos du film.

ENCHLEY Peter
ans les grands fonds (833 * * *)
ɔurquoi veut-on empêcher David et Gail visiter une épave sombrée en 1943 ?

LATTY William Peter
'exorciste (630 * * * *)
Washington, de nos jours, une petite fille t sous l'emprise du démon.

LIER Bertrand
es valseuses (543 * * * *)
lutôt crever que se passer de filles et de ɪgnoles.

URON Nicole de
as-y maman (1031 * *)
près quinze ans d'une vie transparente ux côtés de son mari et de ses enfants, elle ɛcide de se mettre à vivre.

CAIDIN Martin
Nimitz, retour vers l'enfer (1128 * * *)
Le super porte-avions Nimitz glisse dans une faille du temps. De 1980, il se retrouve à la veille de Pearl Harbor.

CLARKE Arthur C.
2001 - l'odyssée de l'espace (349 * *)
Ce voyage fantastique aux confins du cosmos a suscité un film célèbre.

CONCHON, NOLI, et CHANEL
La Banquière (1154 * * *)
Devenue vedette de la Finance, le Pouvoir et l'Argent vont chercher à l'abattre.

CORMAN Avery
Kramer contre Kramer (1044 * * *)
Abandonné par sa femme, un homme reste seul avec son tout petit garçon.

COYNE John
Psychose phase 3 (1070 * *)
... ou le récit d'une terrible malédiction.

CUSSLER Clive
Renflouez le Titanic ! (892 * * * *)
... pour retrouver le minerai stratégique enfermé dans ses flancs.

FOSTER Alan Dean

Alien (1115 ***)
Avec la créature de l'Extérieur, c'est la mort qui pénètre dans l'astronef.

Le trou noir (1129 ***)
Un maelström d'énergie les entraînait au delà de l'univers connu.

GOLON Anne et Serge

Angélique, marquise des Anges
Son mari condamné au bûcher, Angélique devient la marquise des Anges à la Cour des Miracles. Puis elle retrouve grâce auprès de Louis XIV et dispute son amour à Mme de Montespan. Bien d'autres aventures attendent encore Angélique...

GUEST Judith

Des gens comme les autres (909 ***)
Après un suicide manqué, un adolescent redécouvre ses parents.

HALEY Alex

Racines (2 t. 968 **** et 969 ****)
Ce triomphe mondial de la littérature et de la TV fait revivre le drame des esclaves noirs en Amérique.

HAWKESWORTH J.

Maîtres et valets (717 **)
Ce célèbre feuilleton de TV évoque la société aristocratique anglaise du début du siècle.

KING Stephen

Carrie (835 ***)
Ses pouvoirs supra-normaux lui font massacrer plus de 400 personnes.

LARSON et THURSTON

Galactica (1083 ***)
L'astro-forteresse Galactica reste le dernier espoir de l'humanité décimée.

LEVIN Ira

Un bébé pour Rosemary (342 **)
A New York, Satan s'empare des âmes et des corps

Ces garçons qui venaient du Brésil (906 ***)
Sur l'ordre du Dr Mengele, six tueurs naz partent en mission.

LUND Doris

Eric (Printemps perdu) (759 ***)
Pendant quatre ans, le jeune Eric défie terrible maladie qui va le tuer.

MALPASS Eric

Le matin est servi (340 **)
Le talent destructeur d'un adorable bamb de sept ans.

Au clair de la lune, mon ami Gaylord (380 ***)
L'univers de Gaylord est troublé par l'app rition de trois étranges cousins.

RODDENBERRY Gene

Star Trek (1071 **)
Un vaisseau terrien seul face à l'envahi seur venu des étoiles.

RUBENS Bernice

Chère inconnue (1158 **)
Une correspondance amoureuse peut a boucher sur la tragédie.

SAGAN Françoise

Le sang doré des Borgia (1096 **)
Une tragédie historique où se mêle l'amour, l'argent et le poison.

SAUTET Claude

Un mauvais fils (1147 ***)
Emouvante quête d'amour pour un jeu drogué repenti.

SPIELBERG Steven

Rencontres du troisième type (947 **)
Le premier contact avec des visiteurs ven des étoiles.

TROYAT Henri

La neige en deuil (10 *)
Une tragédie dans le cadre grandiose d Alpes.

Fiction • Science

acques Sadoul présente une sélection des meilleurs uteurs du genre, déjà publiés ou inédits.

emandez à votre libraire le catalogue semestriel gratuit.

SIMOV Isaac

es cavernes d'acier (404 ***)
ans les cités souterraines du futur, le eurtrier reste semblable à lui-même.

es robots (453 ***)
'abord esclaves soumis des hommes, deviennent leurs maîtres.

n défilé de robots (542 **)
'autres récits passionnants sur ce sujet épuisable.

ARBET Pierre

'empire du Baphomet (768 *)
e démon Baphomet des Templiers aurait-il été qu'une créature venue des oiles ?

LISH James

emailles humaines (752 **)
es hommes adaptés aux conditions de vie tra-terrestre colonisent la Galaxie.

HERRYH Carolyn J.

estia (1183 **)
aime une non-humaine; leur vie est en nger.

LARKE Arthur C.

01 - l'odyssée de l'espace (349 **)
voyage fantastique aux confins du smos a suscité un film célèbre.

s enfants d'Icare (799 ***)
rrivée d'êtres d'outre-espace signifie-lle la perte de la liberté ?

L'étoile (966 ***)
Une nouvelle anthologie des meilleures nouvelles d'Arthur C. Clarke.

Rendez-vous avec Rama (1047 ***)
Pour la première fois dans l'histoire de l'humanité, un vaisseau spatial étranger pénètre dans le système solaire.

CURVAL Philippe

Le ressac de l'espace (595 **)
Des envahisseurs extra-terrestres surtout préoccupés de beauté et d'harmonie.

L'homme à rebours (1020 ***)
La réalité s'est dissoute autour de Giarre: sans le savoir, il a commencé un voyage analogique.

DELANY Samuel

Nova (760 ***)
Un space-opéra flamboyant qui plonge au cœur des étoiles en explosion.

Babel 17 (1127 ***)
Le langage peut-il être l'arme absolue ?

DEMUTH Michel

Les Galaxiales
(2 t. 693 *** et 996 ***)
La première Histoire du Futur écrite par un auteur français.

DICK Philip K.

La vérité avant-dernière (910 ***)
Enterrés depuis quinze ans, ils attendent la fin de la guerre atomique.

Les machines à illusions (1067 **)
Lorsqu'on débranche les machines, les illusions persistent...

DOUAY Dominique
L'échiquier de la création (708 **)
Un jeu d'échecs cosmique où les pions sont humains. (juin 1981)

ELLISON Harlan
Dangereuses visions
(2 t. 626 *** et 627 ***)
L'anthologie qui a révolutionné en 1967 le monde de la science-fiction américaine.

HARNESS Charles
L'anneau de Ritornel (785 ***)
C'est dans l'Aire Nodale, au cœur de l'univers, que James Andrek trouvera son destin.

HARRISON Harry
Le monde de la mort (911 **)
Pour un joueur professionnel, quoi de plus excitant que de jouer sa vie contre le sort d'une planète ?
Le monde de la mort - 2 Appsala
(1150 ***)
Jason dinAlt tombe de Charybde en Scylla.

HENDERSON Zenna
Chronique du Peuple (1092 ****)
Les enfants veillent à ne pas léviter devant leur nouvelle maîtresse d'école.

HERBERT Frank
La ruche d'Hellstrom (1139 ****)
Ou l'enfer des hommes insectes.

KEYES Daniel
Des fleurs pour Algernon (427 **)
Charlie est un simple d'esprit. Des savants vont le transformer en génie comme Algernon, la souris.

McDONALD John D.
Le bal du cosmos (1162 **)
Traqué sur Terre, il se voit projeté dans un autre monde.

PELOT Pierre
Kid Jésus (1140 ***)
Il est toujours dangereux de prendre la t d'une croisade.

SPIELBERG Steven
Rencontres du troisième type (947 **
Le premier contact avec des visiteurs ve des étoiles.

SPINRAD Norman
Jack Barron et l'éternité (856 ****)
Faut-il se vendre pour conquérir l'immor lité ?

STEINER Kurt
Le disque rayé (657 *)
L'homme a perdu son passé et le présent un cauchemar.
Aux armes d'Ortog (1173 **)
Devenu chevalier-Naute, Ortog fait l'a prentissage de l'espace.

STURGEON Theodore
Cristal qui songe (369 **)
Fuyant des parents indignes, Horty tro refuge dans un cirque aux personna fantastiques.
Les talents de Xanadu (829 ***)
Visitez Xanadu, le monde le plus parfait la galaxie.

VAN VOGT A.E.
Le monde des Â (362 **)
Gosseyn n'existe plus : il lui faut reconq rir jusqu'à son identité.
A la poursuite des Slans (381 **)
Beaux, intelligents, supérieurs aux ho mes, les Slans doivent se cacher.
Le colosse anarchique (1172 ***)
Pour jouer, il doit détruire la race humai
Le Silkie (855 **)
Un surhomme ou un démon électroniqu

WILSON Colin
Les vampires de l'espace (1151 ***)
Ils se nourrissent de l'énergie vitale d hommes.

Editions J'ai Lu, 31, rue de Tournon, 75006 Paris

diffusion
France et étranger : Flammarion, Paris
Suisse : Office du Livre, Fribourg
Canada : Flammarion Ltée, Montréal

Achevé d'imprimer sur les presses de l'imprimerie Brodard et Taupin
7, Bd Romain-Rolland, Montrouge. Usine de La Flèche,
le 16 avril 1981
1219-5 Dépôt Légal 2e trimestre 1981. ISBN : 2 - 277 - 21198 - 2
Imprimé en France